CONTENTS

INTRODUCTION: REETS

While praising its character and relevance, critics of the use of the Scots language emphasise its limitations. Edwin Muir, for example, thought it quite inadequate for intellectual purposes. In this volume, Sheena Blackhall confounds such criticism by her easy command of the Doric which she uses to illuminate many facets of human experience. In *"Reets"*, she portrays old grandmother Forbes, wrapped tight in her country ways, "in a snibbed kist o time ... deef an blin tae aa bit the lilt and lap, the cadences an mores o her ain agrarian reets". And she peers too into the mind of the grandchild, Nell, caught in the confusion of using Scots at home and Sassenach at school - an enduring problem for many an other. In these Scots stories, the author demonstrates not only her flair, but also the emotional effectiveness of the leid, which must surely guarantee its continued vitality.

Half the tales in this book are in Scots and the other half in English, although nearly all have a Scottish flavour. Here again in the English stories, there is a variety of individual experience in the context of tugs and thrusts of family life - the excitements and disappointments of parenthood, the pain of thwarted ambition, and the quest for personal identity. Within the limits of the short story format, she delineates character and explores fantasy in a telling fashion.

Altogether this is an appealing collection.

Ken Morrice

REETS

'For roots are twisted, tender things, which finally must drain your heart'.
Ken Morrice, *'Roots'*

'At Dalmore Hospital, Merch 16th 1963. Jessie Ferguson, aged 85 years, wife o
the late Matthew Forbes, fairmer, Clayrig, Clashfold. Dearly loued mither o
Ann, granminnie o Nell. Service at Greydyke Chapel, far noo abidin, on Merch
19th, at 1.45 p.m. Thereaifter, Clashford Kirk cemetry. Faimlie flooers anely.'
The cauld wummin in the fite shroud, hid bin born, merrit, an widdaed, afore
her fiftieth year. Sinsyne, her life wis a slaw fooner doonwise, frae bairn-rearer,
mither-in-law, tae peely-wally pensioner ...
Nell Reid's mither Annie, hid wad a secont cousin, a farawa frein o the Ferguson
clan, sae thon union wis the jynin o twa reets, ain bi bluid, and tither bi merriage.
A puzzle, unraivellin reets. Nell keekit lang, in her granminnie's face, sikkin the
answer. The face wis blae as a beeskaim, drained o its hinnie. The een, an mou,
war steekit firm in the grey purse o finality.
The tears treetlin doon Nell's chikks war aa surface. Inby, the lassie wis numb.
Her granminnie's daith hid cam like a drappin steen, tummilt hyne doon a wallie
o time, intil the watters o bairnhood. Syne ripples sterted, circles o memories,
some derk, some bricht ...
Nell felt swickit an dumfounert. She'd gaen tae the undertakker's room tae
confront dule, tae murn. Bit the husk in the shroud wisna her granmither. It wis
teem as a barn, efter a roup. In the black waa o her mind, the ripples sattled in
pictures, three Russian dalls, they war, inclosing ain anither, three picturs o auld
Jessie.
The first dall wis dumpy's a Buddha, slaw as a growne aik, dressed black an grey
as a Dürer engravin, wi hooded, inscrutable een an a crookit mou that a stroke
hid strukken frae spikk. Its hauns war saft, an swalled, like sappy breid. Fite
treelips o hair treetled doon frae aneth a velveteen bunnet, preened wi a
cairngorm, the ae concession til vanity.
The secont dall, wis dour as an icon, its glower petrifeed in the flash o some lang-
deid photographer's studio; a kintrawumman, dressed in toun claes, for a posed
snapshot. Bit there wis a quanter jut tae the chin; yon model wisnae dressmakker's
dummy. Na faith, the Edwardian frock wis bonnie eneuch, bit the en' effeck wis
ane o suppressed virr, o thwarted smeddum. Forby, the elbuck-lang gloves
didna sit easy on the strang length o the foreairm.
The third dall, the smaaest dall, yon wis Nell's best-likit. A pictur o a lauchin,
ringletted quine, in fite-smocked lace, flounced ower a sheaf o corn, wi een as
mirkie an glimmerin as twa siller threepenny bits; queats buit-buttoned up til the
knee, the sepia-tint o the photograph giein the bairn an ither-wardly air o
timeless innocence.
Three picturs, syne, o a granmither, like stamps in an album, pairt, bit nae hale,
o a weel-loued collection. They war retinal granmithers, seen granmithers, bit
the essence o Jessie Forbes, the sun on the barley, the shine on the lintie's wing,

noo far hid yon gaen, an fit wis it?

Sae hard, it wis, for Nell tae fit feelins tae wirds, tho ithers fand it easy! The faimly hid taen the length o her, years back.

"Ye've yer faither's temper, my lady," quo mither, faniver Nell rared in a roose. "Ye're the image o the Reids. Ye've granny Reid's broon een, ye've granda Reid's black heid, richt doon til the tune in his mou. I canna wheeple a note. Naethin o me in ye."

An it didna tak lang tae ken, she'd faan heir tae her faither's lugs, taes, and fingers, the ferntickles ower his neb an the moles on his back. Sib as twa troot, they war. Except that her chin wis a legacy frae great-uncle Tam, her queer humors war cousin Morag's, her annual winter hoast wis an heirloom frae great-granda Reids, an aa that she hid frae granny Forbes, war ... war ... reets. The kennin o the past. The mellin o past and present. The past wis a ghaist that supped at ilkie meal, for naebody iver telt it it hid deed. Naebody iver dee'd in the Reid or the Forbes faimily, they war that reeted in their ain history. Forefaithers war wuvvin intil faimily lore, till fac' and fancy war that sib (ayebydan thegither) as tae be ill tae tell apairt. Nell wis a patchwirk, genetic quilt, a steekit-thegither hotch-potch o left-ower skirps o identity.

"Mirror mirror on the waa, is ony o me in there at aa?" she hid speired, a flummexed, bamboozled quine afore the glaiss. Bit the mirror luikit just as bamboozlit's the speirer. Mrs Reid hid claiked aboot Nell ower the dyke, wi a neebor body, reddin up the wee quine's taigles an snorrels. Granny Forbes wad niver hae daen thon. She wis a leal icon, keepit faimily maitters sacred.

"She's a fey, auld-farrant wee tooshtie, oor Nell," gibbered Mrs Reid, fa likit a sklaik an a blether wi company. "She cams oot wi the queerest spikks. She's like a wee auld wifie; far ower sib wi her granmither, yon ane."

Granmither ... Fit wis a granmither, a forebear, an embryonic swatch o perception grown frae a skirp, tae a reet, tae a tree o reeshlin closeness doon the sizzens? At the ootset, at the earliest minin, at the threshold o kennin, granmither hid bin a guff, a warmth, a blur o shape, a scooshle o soun, nae mair, nae less. Her wird wis laich an curmurrin, it raise an drapt nae farrer nor the heicht o a dreel.

Bi day, the auld wummin wis dowpit doon in a neukit seat in the gairden, as muckle a pairt o Nell's bairn-play warld as the yalla nasturtiums noddin aneth the drain pipe, an the rockery steens far the forkietails, minnie-minnie-monie-feet, an a hantle o hornie-gollachs foregaithered oot o the sun. She wis as muckle a pairt o the gairden as the yolk-nebbed blackie an fearty, feary snails slidderin slivvery doon the gairden waa. Granmither's lap hid bin a brod for haudin daisy-chines, snail shells, jobby, pie-bald chukkies, an the thoosan an ninety strangenesses Nell's fingers raxt tae examine. An frae granmither's mou cam a babble o Wee willie winkies, an rugged rascals, an gorblies, an whigmaleeries, chin-chinnies, mou-merries, ee-blinkies, an ower the hillies an awa tae stinkies, that keepit a bairn divertit mony's the lee-lang day.

Bi nicht, tho, Mrs Forbes wis a hefty, forfochen snail, humfin its hoosie slawly ben the lang lobby, makkin for the cauld room an muckle mahogany bed, hersel an her granmither shared. The bed wis cweel, an stoot, facin a crined, puir, coal fire, its lowe sae sma that even in Januar the ice-flooers niver left the winnock.

In winter, the ice-flooers bloomed sickly as daith, wi the gas licht frae yont i the street creepin yalla alang their stems. Yon wis a widda's bedroom, an auld wumman's bedroom, a room o arrested time.

Nicht entered the room in the mask o the Deil, fillin the fire wi lowpin imps. The shaddas o the counterpane creepit like seenister panthers alang the fleer, an the bed wis a bulwark, alive an cosie, a creashie bosie, a guff o kent comfort, an auld wumman's guff o staleness, o swyte, o peppermint, an lavendar, frae the teenie-weenie pyockfus o dried herb, happit in the claes she keepit snibbed ahin the timmer wardrobe. There wis comfort in watchin her nichtly ritual ... the grey hair lowsed frae its preens, ilkie preen pitten cannie in a crystal bowle, near til an ebony snuff box o granfaither's, an an ivory haunilt kaim. Aathing auld, an bonnie, an lang-loued. An syne, the breet-warmth o the cailleach's body, its girth blottin oot the lowpin imps i the hearth, an aye yon hint o lavendar, swyte, an peppermint, Nell's bairnhood friens.

Ae nicht, the quine hearkened tae her granny's wirds. Nae the souns, that reeshled like a bummin burn ben the hinterland o kennin, bit the wirds thairsels. They made sma sense tae sma lugs. Granmither wis incantin her gloamin prayer. "An lead us nae in Tootemptation," quo granny. An Nell tuik it tae be, that Tootemptation wis a Pharaoh's tomb, near haun tae Tut-ankh-amen, fa wis gey coorse, fa hid beerit hunners o slaves biggin his fancy memorial, the damned dirt.

"Fit dis Amen mean, granny?" she speired, as auld Jessie hirpilt up frae her knees.

"Granny sayin guid nicht tae God, dearie."

"Is God gaun tae sleep anaa, granny?"

"Loshty, na. He's far ower busy. He sees aathin we dae."

Nell wis roosed wi God, for yon. Granmither's God wis an ill-fashiont breet, powkin his neb in aawey ...

"Gyang tae sleep, Nell," sighed auld Jessie.

Bit Nell cudna sleep, nae wi God watchin, nae till granny telt her a story. An sic braw bonnie stories she telt! She bedd in the past, an Nell wi her. They war baith bairnies, bidin up late on a lanely hill fairm, watchin a fine gig timmerin ower the track tae a pairty at the laird's big hoose, wi black top hats, an silken bustles. Whyles, they'd be hairstin in the wuidside park, wi great uncle Andra, fa swore like a Turk, an got fechtin fou ilkie Setterday, an near shot Attie Simpson's Meg, fa wis expeckin twins, an lucky it wis she didna drap them there wi verra fleg. Whyles, granny an Nell war twa schulequines, hyterin ower the muir tae the ae-roomed schulehoose, an granny's new buits war tint, that she sud hae keepit for Sabbath best, chasin butterflees ower the moss. An syne, the derk auld bedroom wisna feary or flegsome at aa, bit alive wi yestreens. An fin the stories war feenished, an war dwinin back till the mirk, Jessie Forbes wid wink at her grandother an keckle, an lauch, an drink frae a wee black bottle she keepit hidden awa in a drawer aside her hankies, wi a fite horse on its face. An fit wid God say tae yon, fa saw aathin, the damned ill-fashiont breet? Bit mebbe God hidna a neb, for smellin oot whisky ben lavendar ...

Forby, granmither's relations tae God war aathegither queer. She niver mindit his birthday. Yuletide meant naethin tae Jessie. Hogmanay wis a different kettle o fish, the turnin aff the auld year, the hicklin in o the new. On the hinmaist day o the year, she wad powk Mrs Reid on tae a swypin an polishin an stew-caain as iver a body did see. Bairns, hoose an hearth had ilkie neuk an crannie elbuck-greased wi virr, for unchancy it wis tae bring in a new year in fule claes. An naethin wid please, bit that faither maun gyang ootby tae fidgit an sweir an girn till the last chap o twalve, syne tae be brocht back in, a derk-haired chiel bringing luck on his heid an hoose for the neist few months. It wisna even a thing tae be thocht aboot, a fair or a reid-heidit first-fitter. Syne they grat an leuch, an oxtered ain anither an the lang-deid Reids and Forbeses grat an leuch anaa, God willin that aa wad be spared tae win throw anither year's weird, thegither.

On the first o May, auld Jessie wad hurry wee Nell frae the hoose, afore the May dew wis dry on the green, tae wash douceness an bonnieness intil her face, frae the magical draps o rain. On Halloween, granmither Forbes wis mirkie's a sheltie, reemin wi tales o warlocks on midnicht stallions, o kelpies fa ruled the watter-warld, o ghaists an bogles an lovers wi brukken trysts. An efter the dookin for aipples, fin the hinmaist guizer hid left, an aabody beddit an sleepin bit Nell an her granny, Jessie wad lead the quine up tae the mirror, wi nae licht on at aa. For at Halloween she said, the speerits war hotchin, an if a lassie wad ken the likeness o the lad she wad wed, she maun keek in the glaiss bi the licht o the meen, for sure she wad see him then.

Fin mither skailed satt over the table, it wis granmither's haun that flang a skirp o't ahin her left showder, straicht intil the Deil's een, for the skailin o satt wis unchancy. It wis granmither, tae, fa niver wad pass a fite horse, bit Nell maun steek her een, an wish a wish, an for certain it wad be granted, for horses an fire are favoured.

Her stories were legion, dyod, ay. Nell drank them in, a heidy elixir. Best o aa, war the cailleach's ballads, that hid bin in the mous of fairmin fowk for generations. Frae guff, tae pictur, tae soun, Jessie Forbes grew in love an stature in the quine's hairt. Her granmither bedd in a snibbed kist o time. Sassenach spik an custom meant naethin tae her. It wis as tho she wis deef, an blin, tae aa, bit the lilt an lap, the cadence an mores o her ain agrarian reets. Roch an queer, yet fittin an richt war the wirds on Nell's granmither's tongue. Hers wis the leid o teuchit an bosie, o siller an gowd, that spukk nae o a shop-wife's till, bit the meen an the corn o her bairnhood and bairn-bearin times. An for Nell, the twa warlds war niver sib, the Scots o hame wi the Sassenach o schule, bit maun aye be keepit apairt, that they wadna be bladdit. For the bairns at schule (nae haein a granmither rikkin o whisky an lavendar, nae bidin at nicht in a roomfu o ballads an barley) leuch at the auld-farrant wirds, for they hid nae past ava, bit lived frae meenit tae meenit, as the spurgies dae. They cudna hae telt ye fa their forebeirs war, an they didna muckle care. In the Sassenach warld, sic things were o sma accoont. In the warld o Nell, an her granny, they maittered abeen aa.

So fit wis a granmither, efter-an-aa, yon bride-fite face powkin oot o the mools, strippit o rings an yirdly falderals? Fit wis she, tae Nell, in the hinmaist ingaitherin? She wis a guff o peppermint an swyte, o whisky an warmth. She wis a poochfu o daisy-chines, a skitterin o satt, a pairt in the patch-wirk quilt o a young quine's makkin, o ballads, an barley an yird, in a lanely midnicht room. A bulwark agin the derk, that yoamed o lavendar, a reet that raxit ayebydan, abeen the mools.

THE TAED WI THE GOWDEN SANG

Noo it happened, in the time o Beltane, fin the rime on the grun is eldrich, an ilkie ferlie, crined an dweeble, lowps up in the morn like new; fin burns, an bawds, an buds, are a-birr wi virr, an the warld is green an pleisunt, three howe craiturs sat b' the side o Loch Lipperty, whylin awa the oors in frienly claik.

Sliddry the aidder wis ane, Sliddry the aidder, fa creeps on her stammach in the yird, like a browdent necklace, and Sleeclimmer, the wild cat, wis anither, him o the lang, fite cleuk an the een o bleezin amethyst ... An the broon, roch, runkled Slorach, Slorach the taed, wis the third, fa's wird is a screichin saw, an affliction upon the lugs, fa's verra touch is scunnerous.

"I see a wummlin an meevin, ayont the loch," wittered Sliddry the aidder, heistin her heid like an arra ower the hunkit braid o her coils.

"I see a wummlin an meevin, meevin an wummlin, that tells me Spring his cam tae the muir, frien Slorach the taed. Yer fowk are meevin alang the heath, on their wye till the breedin-bog, tae lay an tae link the chines o a new taed-race. Hist ye an jine them, Slorach, hist ye an gyang, far the taed fowk creep ben the bog."

Sleeclimmer the wild cat steekit his yalla een, an keepit quate, the wycest breet in the howe, an gied nae a single myewt. Sleeclimmer the wild cat heard the taed's reply, an his een gaed wide's a lowp.

"I carena a docken fur breedin-bog, or taeds. I carena a snuff fur ma fowk fa wummle an meeve alang the heath. I anely care fur the fower wins gowden clarsach, hyne upon Criag Heichlan. I wad fin yon gowden clarsach, an reive its gowden sang, an make it mine," craiked Slorach the taed. An his wird wis roch as a quern, as nyatterie's a flail.

Sliddery the aidder leuch, an nerrawed her twa slit-een.

"Yon is the spik o a gomeral, Slorach the taed. Winter his set its ice in the wee bit sense ye hae! Foo micht a taed, fa's back is a bourich o blisters, foo micht a taed, fa hirples far ithers breenge, foo micht a taed, a scunnersome sack o puddens wintin aa grace, aa favour, iver claim the gowden sang, o the fower wins gowden clarsach? Tell yon gypit taed, wyce Sleeclimmer, that yon cud niver be!"

An Sleeclimmer opened his een o bleezin amethyst, an scrattit his neb rale thochtfu, wi the tap o a lang, fite clook, fur he niver spak in haste, bit ay in earnest. "If Slorach the taed wad win the gowden sang, o the fower wins gowden clarsach, I micht kepp him alang the wye. Bit the clarsach's sang is precious, a maist rare ferlie that canna be won wi tricks or gallus gypin. Aathin his its price, an the sang is nae exception. The rarer the prize, the heicher the price maun be pyed."

"Oh I wad gie onything, onything, gin yon braw sang wis mine!" quo Slorach the taed.

"Mebbe ye micht, an mebbe ye michtna," the wild cat purred. "We'll see gin a broon taed's skin is fit fur a gowden sang."

An awa the twa friens gaed, ane swift, the tither hirplin, ower the boddom slopes o Criag Heichlan. An at the stert, the roadie wis pleisunt an easy, the taed, on his trauchlin hurdies, zig-zaggin alang on his belly, and the wild cat breengin forrit on cleuk an paw. Efter a whyle, they dauchlit aside a puil o nut-broon peat, tae win back their pech, watchin a whirligig beetle, furlin the puil's mirror. It luikit abune't in begeck, tae see a taed staun there.

"Yer surely tint, brither taed," screiched the furlin beetle in her wee, wee vyce, "Yer surely tint, or gyte, tae be dauchlin here. Yer fowk are gaen tae the breedin-bog, this whyle, tae lay the links o the neist taed-race. Awa an jine them, dinna bide dwaumin here."

"Nae me," craiked the roch, broon taed, "nae me. I gyang tae win the sang frae the fower wins gowden clarsach. I gyang tae mak my vyce sae wersh an dry, as pure, as sweet an perfeckt, as the perfume o a rose. Ae nicht, an that nicht sune, ye will hear me sing yon sang, an ken that the prize is mine!"

"I hae nae time fur sangs," the beetle answered. "I am furlin the puil, as aa bog beetles maun. I hae nae time fur sangs."

Up an awa gaed the traivellers, till Sleeclimmer the wild cat devauled, near the hame o the reid-faced grouse. Syne, cam a screich an a skirl, an a pluff o roozy feathers, an Slorach cooried him doon, an happit his heid wi fleg.

"Gae back, gae back!" raged the reid-faced grouse. "Gae back, ere I'll gar ye claw far ye waurna yokin!"

Bit the wild cat wadna hodge, nur jink awa.

"Wad ye raisse yer birse at me, ill natured bizzim? Hae a care, ye reid-faced grouse, fur an feather winna lang agree. We didna cam fur a fecht nur an argy-bargy, anely a safe passage tae the fower wins gowden clarsach, far the taed wad win him a sang."

The grouse lowped back in begeck, an glowered at the taed like a daftie.

"The lan o the taed lies doon below. Is he gyte, tae venture here, far nane o his fowk hae bin? Dis yer coonsel sleep, wild cat, that he dinna tell him yon?"

"Can snaw leave its merk on a dyke?" speired Sleeclimmer the cat. "His ambition is wide's a watergaw, a switch, adrift on a spate that canna be stemmed."

An up an awa the twa friens traivelled, iver forrit, till a roarin rent the air, an Slorach chittered an trimmled, like ony fleggit quine.

"Oh fit is yon dreidfu soun, like the sough o a thoosan ghaists?" he speired, fur the soun wis pitifu dreich, an sair on the lug tae hear. Sleeclimmer spak niver a wird, bit pynted a lang, fite cleuk, far the road ran nerra an derk.

There in a fankle o briers, there lay a bonnie stag, fa's flanks ran reid wi bluid. Aroon the briers, the grun wis lush, an gracefu, far the tither deer roamed free.

"Oh fa be he, that greets sae sair, sae sair? Can naething be dane tae save him?" the broon taed speired, fur great wis the stag's lament.

"Oh yon is Lichtfit, a gleg an a bonnie dancer amang the stag-fowk. He heard the clarsach play, an won its gowden prize wi his nimble steps. See foo his antlers wyve a cannie rhythm. Nane are sae swack an swippert afore the pipes as he."

"Bit the briers, foo they teir him," quo Slorach, rale dumfounert.

"The sairer the thorns rive, the better he dances," the wild cat said. "Lichtfit the stag micht step frae the briars this instant, bit syne he wad lose his prize, his bonnie dancin, an be bit a grey-gouned deer o sma account."

At that, the taed near turned, an gaed up his quest, bit a sky-breeze pairtit the lift, an reeshlin, an prancin, bricht as a burn o fite shelties, flowed the gowden sang o the fower wins gowden clarsach, wullin him on. An there, as he stude an listened, listened an stude, it seemed tae the broon, bog taed that the sang possessed him, till the taed becam the sang, fur filled he wis frae his taes tae the tap o his broo wi brimmin music; foo he wished it micht niver en! Foo blythe the taed wis syne!

"I hae won me yon gowden sang, an the sang his cost me naethin!" the broon taed crawed, lowpin hyne in the air wi glee. Bit Sleeclimmer said niver a wird, makkin back fur the side o Loch Lipperty, afore that the sun gaed doon.

Sliddry the aidder wis wytin, her een twa slits o glimmer. The sun ay shone ower the yird, ower the weet, weet dubs o the bog.

"Be gled, be gled fur me, Sliddry, I hae won the gowden sang," cried the taed in delicht, "rare sang, wi'oot a price, that cost aa ithers sae dear."

Sliddry luikit awa frae the taed, tae the weet, weet bog he hid newly traivelled ower. An far Slorach hid placed his fit, nae merk remained, tae bear witness till his wecht. An far Slorach hunkered doon, aneth the sun, nae shadda fell ava, fur foo wad a sang hae substance?

"I wad hear this gowden sang, that cost ye naething," quo the aidder, tae the broon bog toad.

An Slorach gapit his mou, and the sang wis bonnie ower aa, eneuch tae draw hinney frae dulse. Bit as he sang, his sides and his body wummled, wummled and faded awa like gloamin mist, till only the sang remained, ower great fur a taed tae haud.

"Wis there iver a sang like yon?" speired the cat, Sleeclimmer. "It is bonnier, far, that the taed, an yon's a fack!"

THE BANDIE AN THE SHARK

Fin Janeth Veerbeck gaed tae Stanebrae Schule, she wis byordnar grippit-in, an quate. A fremmit quine, Sassenach spukken, wi an unca name, an twa cats-sookins o pleats, o a fooshtie, mochy broon, a moosy broon, a thochtie chittered aroon the fringe.

"This foreneen," quo the dominie, Maister Ross, "Wir welcomin an incomer tae wir mids. She's a hale year younger nur you. I ken ye'll treat her richt."

The class hid glowered, wary, at the quine, like a tyke wad dae, snuffin roon the dowp o a lowpin futterat. Tibbie Beattie, the dux o the class, fa's faither wis a meenister, an fa niver lat naebody forget it, hid redd up the pedigree o the incomer twa days syne, in the playgrun, the Veerbecks haein bocht a bit hoose nae far frae her faither's manse.

"Her da's a Sooth African, a doctor, an byordnar gleg on the uptak. An there's twa ither bairns in the faimly. Ane's caad Benjie, an tither's Heindrickje. Oh, an there's a kittlin caad Tiberius, an a flechy luikin dug wi hingin lugs, caad Dr Faust. An yon Janeth sudna be in oor class ava, faither telt the beadle bit her da's a psych ... psych ... some kinoo heich heid-yin at the doctorin, fa's raissed a richt stooshie at schule, sayin the wark o HER age-group wis far ower easy."

That fair dinged the pech frae us aa, Maister Ross's sums bein noted fur their deeficulty, in aa grades. This incomer, syne, maun be a genioos, wi a furreign faither an a hingin-luggit dug. A rareity, bi ony pint o the compass. The anely ither furreigner in oor class wis Jocky Smith, fa's faither cam frae Liverpool. "I's warrant she's a chocolate drap," quo Tam McPhee, fa wis catched sayin't, sorra tull him, bi Maister Ross.

"We dinna judge a body bi the cut o their claith, nur the colour o their skin, Tam McPhee," quo the dominie, usin the royal WE. "Tae gar ye mind this, we will cam oot fur twa twigs o the tawse. An the Veerbecks are a fite faimly, fiter nur you are, gin the tide-merk roon yer sark's onything tae gyang be."

Ower the neist puckle months, wi the darg o the 11+ hingin ower wir heids like the sword o Damocles, we'd feint the time tae grow acquaint wi Janeth Veerbeck, the incomer. I sudna think she'd haen tae open a buik tae pass yon exam, her being a genioos an aathin, bit I did. I swyted bluid aa simmer, practising tests, an times.

Ma mither's bowl o delicht wis reemin wi ambrosia, fin the results war kent. The milkie wis the first tae larn the news, efter the postie left ...

"She'll be in Janeth Veerbeck's class, ye ken. She's gaun tae better hersel, ma lassie."

The milkie wis suitably impressed. The praise dribbled oot, fin the milkie drave awa. "The first thing YE'LL cheenge is yon Scots o yours, ma quine. Ye'll hae tae spik Sassenach noo, an nae hae fowk thinkin yer a gype. Yer gaun up in the warld."

Gaun up in the warld wis a thochtie precarious tho, like a balloonist stootin intae a tornado. It wis gey turbulent, frae ony airt. Gaun up in the warld meant haivin deid wecht ooto the balloon, ferlies that warna helpfu fur a flee-up, ferlies like customs, mainners, spikk. Gaun up in the warld meant cheenging yer auld Scots linguistic semmit fur a fire-new Sassenach ain. The wirst o't bein the Scots semmit wis kent and comfy, and the Sassenach ane wisna. Sae I gaed tae the new schule, wi ma Scots linguistic semmit neist tae ma skin, tuckit ooto sicht aneth ma dowp, wi ma fire-new Sassenach ane tae the fore. Fyles, the Scots semmit wid cock oot, an loot me doon ...

At the new schule, it wis ME that wis the ootlinn, Janeth Veerbeck fa fittit in. I grew fell chief wi Janeth, fur aa that. She'd a wyce heid, on young showders. She'd harns that gied efter an answer as quick as a tyke'll rin after a rubbit, an never be still tull she'd wun tae the boddom o things, nur wadna rug oot the first rubbit that powked ooto the hole, gin anither wis better. I likit yon whimsical side tae her. It set her apairt frae the lave, fa likit their rubbits served up on a plate, an hidna the smeddum tae snuff oot answers tae things thirsels.

Twisna surprisin, syne, us baith bein thochtfu, an wry, an puckles thegither at schule, that she'd sikk me hame, ae day, fur tea. I wis wary kind, o the invite, being a hame-haudin bairn. Bit a body maun larn tae pit ae fit furrit, ma mither telt me, or ye'd niver win ooto the glaur. Sae she caimbed the touzles oot ma heid, an blaiked ma sheen, an dichtit ma mou wi the neuk o her peenie.

"Mind yer mainners," she warned. "Dinna plavver wi yer meat, nur be ower pernickity. A bairn sud tak fit's laid afore it, an be thankfu, supposin it's dug's dirt, fin a bairn gyangs veesitin."

Janeth's hoose luikit unca like mine, frae ootby ... granite, an blae, an dour. I dichtit the taes o ma sheen ahin ma hose, tae gar them shine, tuik a lang braith, an chappit. The door wis yarked open rale smert, bi Mrs Verbeeck, a muckle skelp o a wife in a green frock, fa luikit fell like a Chinee dragon, fa's etten a hale toon, an's castin aroon fur anither tae swallae. Janeth wis naewye tae be seen, bit a dreich-faced sharger o a loon wis humphed on a steel, playin a lane gemme o chess. Afore a cauld clort o a fireplace, wi a dweeble stringle o rik hoastin up atween twa dauds o coal, stude a lang, teem dreep o a chiel, fa cud hae bin giein the last rites tae a thrapplit geat, sae blae an kirkyairdielike wis his hale physog. He'd as muckle cheer as a funeral parlour. I jeloused he wis Janeth's faither, bi the quanter jut till his chin, that Janeth hid, whyles, fin wrasslin wi a dour equation, or a Latin subjunctive.

"This is Ellie, Janeth's frien," Mrs Veerbeck telt him, wi a smile that wad hae soored a green plum.

He gied me a lang, piercin glower, that gart me feel like a butterflee, preened aneth a microscope, an I hodged frae fit tae fit.

"Dae ye play chess, bairn?" he speired. "I will gie ye a gemme."

The loon, Benjie, raise frae the steel, unsocht, an creepit ower, saft's a cat, tae a buik on the sofa. The kittlin, Tiberius, arched its back an raxxed its clooks, like a butcher sherpenin a knife, and the dug, Dr Faust, curred its mou in fit micht hae bin a rift. I shook ma heid, bumbazed. We whyles played snap, or pick the pack, at hame, bit chess wis a gemme fur geniooses, aabody kens that. An onyroad, I'd the queer notion he didna wint a game ava, bit wis settin a snare fur a rubbit ...

"Far's Janeth?" I speired. "Can we gyang oot an play, noo?"

He gied a bit grue, at yon.

"Hae ye brocht nae buiks wi ye?" quo he, in his fremmit vyce. "Janeth disna get leave tae play, tull her darg's done."

Syne, I noticed Janeth, cooried doon in a neuk, like a frichtit moose, heid booed, eident, abune her wirk. Naethin meeved in yon room, forbyes the reeshle o buiks, an larnin, ye cud near hear aabody's harns, tickin, like sae mony clocks. On a suddenty, I wintit tae breenge ootbye, tae pech doon wauchts o caller air, tae rin, an skirl, an lowp, aa the road hame, fur the twa watchfu Veerbecks war vettin me, like twa muckle sharks, eyein up a bandie, swum intae their territorial puil o undercurrents an deeps.

Efter a wee, Mrs Veerbeck bad us sit doon, tae takk tea. The brod wis happit wi a cloot, o Mediterranean blue, wi tossils ben its foun. Ilkie place wis set wi snaw fite napkins, faulded like a bishop's mitre, an a wicker basket, cockin like a coracle becalmed on a claith, wi a cargo o Frenchifeed croissants inower it. Mither's loaf wis Co-op, bannock flat, an easy buttered.

The croissants wadna cut wioot a fecht, an fan they did, ma knife skyted ben the plate wi a screich like a banshee haein its intimmers rugged oot. The butter wadna clart squar on the fikey, scuttery things, an afore lang, the wee tooshtie o table aroon me wis a sottar o chittered crumbs an dauds o scaled grease. An aa the while, the Veerbecks watched me, claikin solemn tae ain anither, nae in Scots, nur Sassenach neither, bit in Afrikaans. An I kent they war claikin aboot me, an thocht it rale ill-mainnered o them, fur aa their fantoosh breid. As fur Janeth, her een niver liftit frae the plate, aa ben the meal.

Syne, Mrs Veerbeck cairriet in the pudden, dessert she caad it, twa flavours o mousse, ane pink, ane broon, tricked oot in glimmerin crystal glaisses, the kind that anely saw daylicht in oor hoose aince yearly, at Hogmanay, fur haudin drams, nae pudden, tho. Suppen pudden frae a dram glaiss wis a novelty, richt eneuch.

"Choose fit ane ye'd like," quo she, in a byordnar traicily vyce, like a missionary giein a cream cake tae a cannibal. I mindit ma mainners, like mither hid telt me, an said that I wisna fussy.

The traicle in Mrs Veerbeck's vyce soored tae vinegar. She luikit mair like a Chinee dragon nur iver.

"I'm offerin ye a CHOICE," she roared, as if I wis deef or daft. "Can ye nae mak a CONSCIOUS DECISION??"

The Veerbeck bairns' physogs gied nae spirk o emotion, like the deid aisse in a fire, thay war, aa warmth trampit ooto them. Fin I managed tae fin ma vyce, the wirds that fell fae't soundit scratty, an wee, like a spurgie that's just bin run doon bi a puffin billy.

"Broon, please, Mrs Veerbeck, gin it's aa richt wi ye."

Bit ma appetite hid clean run aff, like a herd o antelope fleegit bi a hippopotamus. I forced the pudden doon ma thrapple, in growin desperation tae win aff.

"I'd like tae gyang hame noo," I announced, fin the mousses war aa teemed, an the table tirred o its cloot.

"Johannes ... Div ye hear yon? This frien o Janeth's wintin hame. Already!" Janeth's faither hid jist sattled hissel doon, in a cheer, wi a copy o the Times an wis vexin ower the crosswird. He glowered at his wife, an sighed.

"Bit she's anely new gotten here!" He faulded his paper cannie, at the richt crease, duntit the baccy frae his pipe, stappit his pipe in his pooch, an thocht awhile. They war aa dab hauns at the thinkin, the Veerbecks, naethin cam natural tae them, withoot scrattin their harns, fur a bit think.

He insistit on drivin me hame, tho I'd leifer hae wauked. Neither o's spak a wird aa the wye frae their biggin till mine, tho I catched him gie'ins the antrin keek like I wis incubatin scurvy, or sic-like. Finiver the car stoppit, I pounced on the door, bit cudna wirk the haunle, ma hauns war that skyty wi swyte. He gied a grumph o exasperation, switched aff the motor, raxxed ower, an released me.

"Ta ta, then, Esme ... Is it?" he mummled, frosty, an hyne awa. Fur a meenit, I peetied Mr Veerbeck. A clivver chiel, richt eneuch, bit a human fridge. Ony thaw micht crack him. There wis a sadness aboot him, tae, I cudna jist faddom, like he micht hae bin able tae lauch, an be natural, aince, bit hid forgotten the wye o't langsyne.

I watched his sleek, fite car glide awa, an ice-flow wauchtin back tae its Arctic wastes, wi its shark inby, nae baskin, nae sweemin, nae divin, nur splashin nur wallowin, nur swack, just a lane, dreich, waesome shark, that wis frozen stiff.

"I's warrant ye'd a whale o a time," ma mither crawed, fin I wun in. Whyles, she cam oot wi the daftest spikks ...

"Weel, I'll tell ye this fur naethin. I'm nae gyaun back!"

"Oh havers, Ellie. Ye'd luik for a shark in twa inches o watter, ye wid. Aabody likes tae be socht oot fur tea."

Bit nae fin yer the tea, thocht I, feelin rale like a bandie, fa's just bin half-digestit ...

WATTER

The Doctor o Braemuir ained a weel-biggit hoose, tap o the road, neither unca perjink nor auld-farrant either, but raither, a biggin lang-sattled, weel-tendit, an indicative o a quate, unpreteentious affluence. Its bit gairden wis trig wi shrubs, close clippit's a lammie's oo, a sma-boukit gairden, that wadna brak yer back tae keep it snod, nor rax yer fit tae stravaig it. Nearhaun the road, the fremmit shrubs owergied the croun o the grun til the hame-ower, daudin-on-aawye variety o flooers, plain Janes (bit cantie) growin showder bi showder wi the mair exotic swatches o plant, plunkit down bi maist fowk wi an ee for bonnie ferlies, bit nane ower skeely in coddlin them. Yalla dandelion, doo's-egg blue forget-me-not, docken, and feet-yokey-daisy, ay, an the wild dog rose, aa sneakin a tae in aneth yon shrubs, war tholed an lat bide, for aa that.

Inby the hoose, the rooms war claes-castin close ... the hairst-weather-hett o an air-conditioned biggin, haein aboot it an air o self containment that wippit it roon like a shawl, nae excludin the Doctor o Braemuir, Neil Lawson, an his faimly thairsells.

Faith, in the fash an clash o an ordnar kintra practice, a G.P. walks a lanely dreel; the first body tae kepp puckles o his patients intil the warld, an geyan aften, the hinmaist body tae kepp them oot o't. Nae darg for a misanthropist tae be daein, nae darg for a timmer-heid, there bein a thocht mair til the proceedins nor dolin oot the antrin breid poultice ... tho dammit, wi some o the younger breed, I dinna ken tho, I wadna loot them powk a futtly beilin, let alane onything fyky, they're that glekkit ... Still an on, a doctor hisna an easy life o't. Far a fairmer micht claik o his craps, or his nowt, or his neeps or an ill-rinnin tractor (the bitch), at ony park, neuk, or road, a doctor micht traivel for miles an niver clap een on a sowl fa read mair nor the 'Fairmin News' or the 'Wummin's Wikkly'. Puckles o medical bodies dowpit doon in a rural practice wad hae taen scunner o dubs, dubs, sottar an clort, an the yird that clung like parritch til beets an furreign cars alike, like a mowdie castin its skin. Ay, bidin sae lang in the mids o naewye wad hae soored maist fowk, o the Howe o Braemuir. Bit naewye's SOMEWYE, gin a body's a notion for't, an it suited Neil Lawson an his faimly rale weel.

He socht me inby, aince-eerin, tae owerluik the view o the Howe, frae his biggin, an yon wis a stammygaster tae widen the een! Near hauf o a hale waa wis glaiss ... glaiss ye micht luik through ontil a rowth o parks, glory be, ye micht see for far eneuch, an then some. Sae braid wis yon winnock, sae braid, ye'd hae thocht that the Howe an the hoose war jined, ye cudna pairt them, the Howe wis a leevin pictur, wisna thon an unca thing! An Neil Lawson likit it fine. He cud reel ye aff a tale on ony bit detail ye likit. Fegs, it wis a tapestry yon, far mair nor a lanscape, he'd wuvven the weft o his life in the fabric o the place. Gin fowk tuik the form o creepie crawlies, like the Hindus mak oot, Neil wud hae bin reincarnatit an ant, clivver, an wirkin, an knittit intil the wyve o Braemuir, an ant tae be sure, an niver a locust.

An me? Fit wad I be reincarnatit as? A forkietail, likely, or sae ma mither wad tell ye, a bit o the Deil in's onyroad, fa niver sees guid in a thing far ill wad dae. "Gin I gaed ye the meen, ye wad pyke oot the hairy mould frae't!" ma mither ay cried, an mebbe she wisna far wrang, for I cudna reeze oot Neil Lawson's view ava. I jist cudna ... Either baith o's war luikin at a different Howe, or I was gaun gyte ... The nerra path he thocht sae bonnie, I likent til a maze, an enless labyrinth, an in its mids an orra, fyeuchsome Minotaur o dreich, dowy, lanely days, an langer, oorie nights. The Howe he fand sae lichtsome, wechtit me doon in speerit as sure as I'd bin Atlas, uphaudin a muckle taed. The green, green girse that held for Neil Lawson the cherm that Elf-land held for Thamas the Rhymer, tae me, wis drear as dulse, as mochie as sharn on a fell, strang, midden.

Mebbe the hoose made the odds, it bein biggit atap the brae. Ye see, I bedd at the brae foun, in a raw o hoosies close as a gaithered stook, mair lugs nor a bourich o corn, far siller wis a clink in the bygaun, an gairdens war for feedin, nae fancy, jist plain tyauve, an damn all en'tilt, an the grun steel-hard, nae hairst in't, nae saftness ... nae ae pick o watter in yon Howe, nae a guid-gyaun burn tae slocken a body's ee, tae gledden a body's lug wi the lap and slubber an skelp o't ... "Hae ye nae a tap?" speirs ye. I hae a tap as well as the neist, an I can turn it on an aa ... but there's watter an watter, as the laird said, fa wadna sup frae the tinkie's troch. I've bidden in bonnier airts than yon, far watter wisna a scarce commodity, far ye'd aftener glimsk a salmon lowp, nor a neibor, far grun wisna cribbed, nor neukit, nor dyked in, like a patchwirk quilt stappit i a box bed ...

I walkit doon frae Neil Lawson's hoose, an steekit ma ain door. Syne, did it nae stert tae rain! Dinging doon it wis, like a jeweller cowpin oot King Solomon's pearls. The mochy, dubby cloods pairtit, skitterin watter frae the lift like an auld dug shakken its tail, or an auld wife skelpin a bass. Rain. It sypit in treelips o slivvery, stringly smush, alang the parks, like an Armada o wirms on the meeve. Rain. It cooried in the girsse, like a fleggit, faaen galaxy ... It peltit the dykes wi a fusilade that niver jist hit the merk ... Rain. It slinkit an sleekit in seeripy effusions alang the village, the tap, tap, tap o its sma clooks like the chap o a bairn's neive, sikkin admittance at a snibbed door. Rain. It jink't ower the kirk spire wi the bare-nakit chik o Maisie Webster, the butcher's wife, fa ran aff wi the chemist a month ago yestreen, an aabody cried 'guid riddance'. Rain. It dirled aff awye, stottin awa unwinted. An as quick as it cam, it vanished, rubbed oot o sicht bi a skiffin o simmer sun.

Efter, it wis as if the rain hid niver bin, aa the rain sookit intil the graveyaird o the Howe o Braemuir, taen intil the mawe o the derk, derk mools, an tint. Foraye. Yon wis an unsettlin thocht. A muckle question merk hung i the lift, like a blaik wattergaw, a Damoclean sword, nae resolved, as the weather cheenged frae birsslin hett till a sulky, sullen gloamin. Shortly afore nicht, the rain, rowed up in a bunnle o weet cloots o cloud, wrung oot wi a clattervengeance, as I steekit me een, soun-sleepin, jist as the first incomers o storm lat lowse a blatter o raindraps teetle the winnock, an tousled the heich-tossed heids o beech, wi a whoosh an a reeshle at ma lug.

The pouer o the human mind for invention is infinite ... rain, tappin agin the winnock, tappin agin reason ... reason tappin agin the yetts o dream, dream floodin the nicht like a braid waa in a michty, linn-lowpin, clood-dirlin stampede o watter, o sic a virr an translucence, its passage wis hairt-stoppin. Salmon ripplit ower its currents, iron-fleckit, yet swack as a gambler's neive. Yon wis a river o licht, a paeon o watter, the monie tongues o liquid, weetin, an cleansin, baptismal as cweel Siloam, vivid as rinnin fire. Aa ben the nicht it sweeled me roon on its waves, showded me safe's a babby in'ts mither's airms ... watter, the hill element, watter, the sky element watter, wi'oot it nae leevin thing can hope tae endure ava.

In the foreneen, I waukened tae a chirp an a cheep o spurgies. Siccan a cheenge, Lord, the Howe wis perched wi drooth! Spurgies war feather dusters, pluffin up baas o stoor. Awye wis broon, an dry, an styewy, cakit wi dubs, an crackin, wizent yird.

Frae Neil Lawson's hoose, at the tap o the brae, the Howe wad nae doot be an owerluik o retinal delicht. Waukenin til a pleisant an a bonnie day, he wad tak a turn o his gairden, refreshed bi the sicht o his ain guid neibor, the Howe. As for masel, I opened ma yett on a charnel-hoose, a pictur o leevin daith. For of coorse, in the hale o the Howe, there wisnae a pick o watter ...

Copied from René Magritte's 'Les Vacances de Hegel' 1958

SILLER

He wis staunin, squar tae the win, bunnet rugged teetle his broo, swypin the leaves tummelt doon frae a nearhaun beech thegither, garrin the Mairtinmas hairst o sylvan copper rise in trig bourichs wi his eident breen. As ay, Mary Chisolm gied a bit chitter o grue, at the verra sicht o the chiel. Tichtenin her jaiket roon her lang waist, she knippit on, quickenin her stride, the faister tae set grun atween her an the dour leaf-swyper, on the road frae her hame till the clachan's grocer's shop. Forbye, she gied him a glower in the bygaun, a glower o sikk an ill-will, as wad hae jeeled the bluid o Auld Nick himsel, hotterin in the Hell o Calvin ...

Nathan Rannoch wis a creashie, ill-faur't billie, that wadna see saxty again, that a hale lifetime's proximity tae siller hid dane naethin tae set a glimmer o grace on. Faith, his fly, sleekit een bored inno ilkie neuk, takkin aathin in, like an auld, rapacious pike, in the boddom o a glaury loch. His body wis hefty, a bittickie bloatit, like a daud o fooshty breid left sypin ower-lang in an orra puil o dubs, the skin o him, broon an leathered, like a taed creepit ooto a sheuch in Mairch. His sark wis lirkit, an wintin a collar, his moleskin breeks war happit wi a leather apron, sic an apron as a smith micht weir, fin shoein a shelt, an his buits war weel-blaikit an tackety, pruif agin aa weathers, like the chiel himsel. Yon wis Rannoch in his wirkin claes, wytin the birr o the muckle brewery waggon takkin inbye his yaird, for he ay made siccar he widna be swickit nur short cheenged bi ony tarry-fingered tyke. He owerluikit the rollin aff o the metal drums o ale intil his cellar, wi a gleg ee, an a cannie ane. It wad hae been a gey bold divil tae try tae misfit Rannoch, an live tae craw aboot it. Naebody got the betterin o HIM.

His howf wis a weel-kent place i the clachan, the anely pub in waukin distance fur miles aroon, an Nathan Rannoch made the maist of the captian. It wisna a mem'rable howf, nae byordnar perjink, nur byordnar throwither, nae partic'lar fantoosh, nur partic'lar auld-farrant. It wis a blae, stane, dreich biggin, theekit wi sclate, as dour as Rannoch himsel, an furnished wi formica-tapped tables (the better tae keep clean, withooten linen cloots an tither falderals), a lino fleer (the better tae swype oot the stoor o stewy buits), and a muckle, broon till, the quicker tae draw in the siller. Oot o drinkin oors, a gurly, bowfin, ill-natured clort o a snappin Alsatian dug lay sprauchled afore the door, snoot reistin in'ts paws, tae keep prowlers awa. An fegs, it fairly did YON, as mair nur ae sair dowp, or pair o riven trooser brikks, wad testifee.

A batchelor body, auld Nathan's day wis thirled tae the tring o the till. The smaaest sniff o trade wid fin him hett-fit ooto bed on a cauld, smirry foreneen, wi the robins near frostit tae the trees an the haar lying thick ower the girse tae tend till his 'back-door' custom, the antrin drooths o the clachan, fa queued up crafty-like, gluggerin fur drink, an tae fa Rannoch extendit his 'pye fin ye can' system, chalkin their illicit cairry-oots doon on a sclate ahin the bar. His siller wis safe eneuch, even wi them, fa war aywis in debt tae the publican. His siller was speecially safe wi them, thocht Mary Chisolm, wi a thrawn thraw till her mou, kennin ower weel that her man, Jimmy, wad pye Rannoch hard on the nail ilkie pye day, afore he cam hyterin hame, fu's a puggie, in debt tae the breet already, wi a sma sup wages left in his pooch fur meat an boord.

The car park aside the howf wis hotchin wi cars, glimmerin like gowd thay war in the caller Autumn air. Frae the wee stane kirk on the brae ahin the howf, the tinny kirk bell dirled oot a summons o dule, the summons tae gie due an fittin respeck fur the deid. In the sma kirkyaird, a grave stude new howkit, the blaik, dubby mools lyin weet ower the girse, the grave wytin, quate, tae hap ower its latest incomer.

Rannoch coonted the cars wi miserly pleisur. A fair-sized funeral, ay. Waddins or funerals, made nae odds tae him; onyroad, his till wid ring the profit o't. A richt sherp bit o speculation, yon, he congratulatit hissel, biggin the pub aside the kirk. Religious zeal wirkit up an Almichty drooth in fowk, dod ay, ceelebrations or lamentations, siller wis siller, fooiver ye clawed it in.

....

Wee Annie Chisholm ruggit the airm o her mither's jaiket. "Mr Rannoch gied ye a cry, ma" she said. "He roared ower, 'Fine day!'"

"Did he tho," quo her mither, fas lugs cud be as deef as Nelson's ee wis blin, fin it suited her. "An fit day's NAE tae the likes o him?"

They war makkin fur the shop, tae buy a pirn o threid. Fite threid, it maun be fite, tae feenish the quine's costume. Fur Annie, it wis a winnerfu day ... a hale ten pence in her pooch, tae spen as she likit, an a fancy dress parade efter ... "Fite threid, d'ye say?" speired Midge Matheson, the shop wife. "Lordsakes, the schule hose quines weir nooadays are rippit afore ye ken. Still, a bairn's nae born tae be an ornament, an I dinna ken ane that disna climm dykes, nur trees. As lang's they're happy, that's fit I ay say."

She wis a hame-ower, couthie wummin, fa kent her customers weel. She kent better nur maist the kinno thrift a body like Mary Chisolm maun use, married on a drooth like Jimmy.

"Nae torn!" chirpit up the bairn. "Threid's fur ma costume. Fur ma fancy dress rigoot."

"Sorry, I'm sure," leuch Midge Matheson. "I'd clean forgot the Sale o Wirk wis the day. Fa's tae be judgin?" she speired.

"Someyin speecial, the dominie said," quo Annie.

"Likely the meenister, or the beadle's wife," returned Midge, as Mrs Chisolm daundered roon the shop, powkin ahin shelvin, an raikin throw boxies.

"Ony bamboo cane?" she wintit tae ken.

"Ye'r a thochtie late for stakin peas," chippit in Mrs Donaldson. Mrs Donaldson ained a wee bakery in the mids o naewye, an whyles cried in fur eerins tae the clachan, fur eerins, an sklaik. She wis a stoot, brosie deem, wi a reid mowser, a commandeerin body, o some staunin in the community, heidin puckles o committees an cairryin hersel wi the virr o a heid-bummer. There war ill-thochted fowk fa caad her 'interferin'. Mrs Donaldson didna haud wi yon, she thocht on hersel as 'bein involved', a different thing aathegither.

"We dinna wint a cane fur stakin peas," Annie said tae Mrs Donaldson, as if tae a gype. "It's fur ma wand."

"Annie's riggin oot fur the fancy dress parade," her mither explained.

"Weel, that's champion, lassie," quo Mrs Donaldson. "My, it warms ma hairt tae see the littlins bein creative, insteid o ill-trickit, fur a cheenge."

Bit Annie Chisolm niver heedit yon styte ... That wis the winnerfu thing aboot siller, it wis REAL magic, nae pretend. The ten pence, hett an roon in her haun, cud buy twa jeely babbies (reid anes), twa strippit peppermint sookers, an mebbe, jist MEBBE, yon Yuletide ferlie frae last year's buntin, niver selt, she'd haen her een on this langtime, a gowd, papier-mâché Angel, its powe smooth as milk, its wings bonnier nur a lintie's ... It cud be her ain, brawest ferlie. The shop wife tuik it doon, frae its neuk ahin calendars, preens, an ither gee gaws. But it wis dearer nur she'd thocht ... a hale pun note, far mair nur the bairn cud pye ...

Mrs Donaldson didna dauchle in the grocer's. She humphed a mysterious skelp o a box grippit teetle her bosie, stappit tae the gunnels wi trock fur the sale, auld tilly-lichts, an ashtray frae Dunoon, a sappy Dundee cake hame bakit as a gift fur the raffles, a clean fite tablecloot tae spreid ower the brods fur the fly-cup sellers, a tartan shortbreid tinnie fur the takkins at the door, an a wee new-preintit ticket, wi '50p admission, adults; bairns, free', screived in squar blue letters.

Aince inower the haa door, she gied a glower aroon, an a grumph o satisfaction. Aabody wis staunin at their posts, like a line o shelts in the Derby, wytin fur the aff. Aabody gied Mrs Donaldson a guid reception; she brocht the Midas touch tae fitiver she set her haun till. It wis sure tae be a bobbydazzler o a day, sure tae raise a guid puckle siller fur the pensioners' annual ootin, an the littlins' Yuletide pairty. It micht EVEN warrant a bittie in the papers, wi a sma photy. Ay - there wis a chiel frae the local Press in their mids. SOMEBODY maun be far in wi the editor, she jeloused, hopin that her ain conseederable contribution tae the proceedins wid get a wee mention. She dichtit up her brichtest smile, fur the reporter chiel. The judge fur the fancy dress parade daundered ower her wye.

"I see we've a gentleman frae the press amang us," she curmurred.

The judge tappit his lang neb, sly-like. It wis weel kent he wis chief wi the reporter, fa owed him a favour or twa.

"Aabody's up tae the merk," she added, rinnin an admirin ee ower the judge, fa happened tae be a cronie o hers. They sat on a hantle o committees thegither, gaed gowfin an curlin wi the same fowk, war as thick as twa lumps in a bowl o brose. The judge wisna dressed fantoosh, bit trig, in granite grey, a suit made tae make the maist o the years withoot showin weir, an wi a blaik tie knottit abeen his sark, as respekfu acknowledgement that there'd bin a funeral earlier, in the clachan. Mrs Donaldson thocht him a sonsie, hairty speecimen o humanity. A businessman, tae the backbane. Foo deep he'd pit his haun in his pooch tae fund the loons' fitba team! The kirk steeple collection kent the guid o his charity, anna! Of course, ilkie maik he iver pairtit wi, wis ay duly noted an recordit in the papers, maist aften wi a photy o the benefactor, an a wee spheil aboot his flourishin business in the bygaun ... Bit fit o yon, fit o yon! Sma eneuch recompense fur his guid deeds!

"Are ye conseederin a wee flutter on the tombola?" he speired.

Mrs Donaldson's face gaed as reid as the tips o her mowser.

"I hinna a braisse farthin on me," she confessed. "It's that unchancy, cairryin siller aroon wi ye. I conduct aa ma transactions bi cheque, or credit card. Plastic siller accoonts fur ilkie bawbee. Mind, I'll be writin oot ma usual sum, in aid o the day's efforts ..."

....

Mary Chisolm hidna gaen tae the sale. She'd nae bawbees lowse in HER pooch, let alane plastic siller. The admission fee itsel wad hae connached her budget. Bit Annie gaed, the wee fairy, in black jimmys, an a fite petticoat o her minnies, haudin ticht till her threepenny bamboo cane, in a lowe o excitement, intil the ha. The judge kent the bairn richt aff. Her faither wis ain o his best customers. Fur appearance sake, he held a plavar ower the judgin, dauchlin lang an solemn ower the raw o clowns, spacemen, tattie bogles, an ither whigmaleeries, devaulin thochtfu, afore a loon frae an ootlyin fairm-toon riggit oot as Scotch broth, wi a neep, a carrot, a tattie an an ingin preened till his maasie, an a muckle braisse pot cowped ower his heid. Bit the Scotch broth didna hae Annie's advantage, in that the Scotch broth's faither didna deal wi the judge ava.

Fin Annie steppit up tae colleck her prize, Mrs Donaldson clappit her hauns thegither in delicht. "I ay kent the Chisolm bairn wid win," she telt the photygrapher. "Fit say ye takk a photy o the occasion. The mither's nae here, I see. She'd like yon, as a keepsake."

A whirr, a birl, a click, an the meenit wis catched on film. Annie and the judge sliddered frae the dowp o the camera, weet, bit weel focussed.

Mary Chisolm, wis chappin the tatties fur denner, fin Annie treetled in, wavin a braw new pun note abeen her. The mither dichtit her hauns cannie on her peenie, a wummin auld afore her time, lines o puirtith an worry scratit deep intil her face.

"Can I spen it? Can I spen it noo?" speired Annie.

"That ye may, quine." Ay, spen it, spen it an be quick aboot it, spen it afore Jimmy cam hame, scraunin the hoose fur booze, or fur siller tae buy the stuff. Mrs Chisolm keekit at the wag at the wa. He'd sune be back. He wadna lay hauns on the hoose-keepin THIS wikk, nae gin she cud help it. She'd fan a new hidey hole, a guid ane. This time, she wadna weaken afore his wheedlin nur his ragin. Siller, tae Mary Chisolm an her kin', wis survival, naethin mair. The odds atween makkin dae, or daein withoot. As Annie raxxed up tae the door, a scrap o caird drappit till the fleer.

"Fit's this, Annie?" her mither speired. The quine chawed her lip.

"It wis aa Mrs Donaldson's notion," she hubbered. "She thocht ye wad like a wee momento, o me taen wi the judge. It'll be i the papers ..."

The mither's face hardened, as her een set on the hated physoc o Nathan Rannoch, boowed ower her bonnie wee bairn like blicht on a rose, the siller in his haun like a taint.

"Takk it back, Annie. Takk it back, noo. It's orra siller, fule siller, taintit siller." The bairn luikit at the pun note in her haun, dumfoonert. It wis a new Scots pun note. Royal Bank o Scotland, it said on it, STERLING. A breengin, plumed shelt an a rampant deer, stude hoof-heich ower a heraldic targ, emblazoned wi thistle, lion, an croon. It wis the exact price o the gowd Angel. Fit wye cud it be orra, fit wye cud it be fule, fit wye cud it be taintit? Siller wis siller, Annie's bittick o magic, that her mither widna let her touch.

Bitin back the greet, she wauked oot the door, makking slawly doon tae the pub.

THE WEE CURDOO

Fin the hairst is by, an the simmer gaen, fin the nichts grow lang an the air his a nip that kinnels the birks till a reid lowe, there is a scooshlin, an a reeshlin an a sweeshlin, at the foun o the muckle ocean. An the salmon King rares up, fa is auld as Neptune an as skeelie a sailor as Nelson, an says tae his subjects, "Muckle an wee, muckle an wee, let ilkie ane tak heed! The time his cam fur the salmon fowk tae sweem till their ain bit hames!"

An like a stoory cloud o stew caad up b the win, muckle an wee, muckle an wee, gang jinkin an lowpin, lowpin an jinkin up throw the green green sea, tae heed him.

Wee-est o aa, wis aince the wee Curdoo. Her tail gaed skelpity-skelp, wallopin-wallop along the glaisse green ocean waves, the smaaest fish in the shoal. An fit queer ferlies they spied, on their traivels! They swam aneth trawlers an tugs an tankers that trawled an traded an tooted frae the herbour o Aiberdeen. They breenged ben the legs o ile rigs an gey guid sport yon wis. Bit oh, sae fearsome wis Aiberdeen an sae murky the watter there! Boats gaed skytin ower the salmon heids like fearsome sharks, an the salmon cooried thegither in a fleggit bourich. Syne, the salmon King lowped up, fur he wis a bold billie, as they passed aneth a brig, faain back wi a michtie splyter.

"Bide close, brithers," said he. "The toun rins near the banks, an wir hames are hyneawa." An skelpity-skelp, wallopin-wallop gaed the wee Curdoo's tail, fur she wis gey sair made tae keep tee. Forrit an far swam the salmon fowk, an ay the burns grew mair an their numbers grew less. Bit the wee Curdoo didna dauchle, ay knippin on, till the Dee sheared aff like a booed fork, an a whusper soughed in her lug "Turn an rin, turn an rin, fur yer hame is near at haun."

An on an on swam the wee Curdoo, niver devaulin aince, till she cam tae the foun o a linn, that tummelt abeen her heid, an the salmon King raisse up, afore her. "Now ye maun lowp, an lowp, as ye've niver lowped afore. Gaither yer smeddum an pech for Lochnagar lies yonder!"

Breenge, an splyter, an deist, gaed the salmon King up the linn, an the wee Curdoo ahin him, an siccan a tcyauve it wis, a sair sair trauchle, till they wun tae the tap o yon linn! Wi the day near dane, an the gloamin still tae come, they slippit doon in the mids o a braid, braid loch, an the wee Curdoo cud rest, fur in truth she wis hame at last.

Noo, ilkie day, a muckle stag wauked doon, tae sup frae the braid, braid loch. Oh wisna he bonnie, an wisna he braw! An the wee Curdoo grew fell fond o the muckle stag, an her hairt grew licht at the sicht o him. She wid lowp frae the loch fur ae glimmer o his glaisse-grey een. An the thocht cam tae the wee Curdoo, that the stag micht be wintin a wife. Fur fin the bloom weirs aff the heather, an the nichts are lang an lang, yon is the time that a salmon thinks o merriage, an a stag takks himsel a bride.

A taed cam creepity-crawlin ower tae the loch, fur a guddle an a gander, tae weet her thrapple. The wee Curdoo an the taed fell tae newsin.

"Fit maun a salmon dae, tae win the hairt o a muckle stag?" speired the wee Curdoo o the taed.

"Naethin ava, naethin ava," screiched the taed. "Ye canna bide on lan, nur he on watter, sae that can niver be."

"Bit ye can bide on watter, an ye can bide on lan," quo the wee Curdoo tae the taed. "I wad gie ye ma pearl-grey goun, an ma siller een, tae ken yer secret."

"Fit wid I dae wi yer pearl-grey goun, or yer siller een," quo the taed. "Till the day that the burn rins reid, an a fishie turns till a tree, a salmon winna walk on lan, nor a stag tak her tae wife."

Aa winter lang, the muckle stag cam doon tae sup frae the braid, braid loch, an the wee Curdoo wis watchin. Syne the snaw wore aff the hills, and the buds brukk throw the ice, an the taed wun up frae her winter sleep, aa-steerin, fur she wis tae be merriet in Spring.

An the watter raisse in the loch, bringing the salmon King tae the heid o the linn, a-gaitherin his subjects, an this wis the cry he gied,

"Muckle an wee, muckle an wee, let ilkie ane tak heed! It is time fur the salmon fowk tae leave their hames, fur the ocean deep his need o's!"

"Oh bide, bide, bide," quo the wee Curdoo, "till I see gin the muckle stag will tak me fur a wife!"

Bit a whusper cam in her lug, as the watter raisse in the loch,

"Turn an rin, turn an rin, fur the ocean deep is wytin."

"Tho the burn ne'er rin reid, tho a salmon binna a tree, I maun walk on the lan or loss him!"

Syne in the air she lowpit, an ower the muir as faist as her fins wad caa. Bit sic lang legs hid the muckle stag, an sae dry wis the win an the heather! The wee Curdoo lay doon, an wis nae mair, fur in truth, her hairt wis brukken. An far she fell, there grew a larick tree, an green an sweet its branches. An ilkie simmer since the muckle stag comes doon tae staun in its shade, an the wee Curdoo is happy, fur he is aa her ain. An fin the day is deein, an the sun slips doon at the back o Lochnagar, the burn rins reid as fire, an the larick tree gaes swyin in the win, for aa the warld like a fish, fur the taed wis an honest taed, an telt nae lee.

THE BEN, THE BURN, AND THE CLAIKIN TREE

Noo, gin ye'd traivel as far as Ben Bodach, an dauchle a wee whyle there, wi a clear heid an a quick lug, afore the teuchit storm, fin the glekit bawds rin gypit on ilkie brae, an the bud on the gean is brierin, ye micht listen an learn, listen an learn, fin the ferlies that bide on Ben Bodach faa tae newsin. Fur a body may learn frae the smaaest thing, an fyles, tae his ain advantage ...

Ye'll niver learn ocht frae Ben Bodach himsel, bit yer ain hairt's echo, fur he is as auld as time, an mebbe a thochtie aulder. He is a bowster tae the ferfochen; he is a rowth o siller troot tae the fisher; he is a day's stravaig till a gyangin fit; he gies tae the blythe their blytheness back an yon tenfauld. Gin its alaneness yer seekin, he is yer socht-fur quate. He is abeen stramash an argy-bargy, hyne awa frae the steer o the warld, he raxxes forrit, up till the starny lift. He is oot-grown thocht, he is Nae-Mind. Ye'll learn naething frae heich Ben Bodach that's nae in yer ainsel. Ilkie man maun win tae the tap bi his ain gait, tcyauvesome or licht-fittit, the road is yer ain choosin. He is hame tae the deer, the adder, the craw, an the three this tale consarns ... Lithe Lassickie, the burn, the fir stump, Jean Girnie, an Dour Biggin, the lang, teem sheilin.

Lithe Lassickie the burn is Ben Bodach's bride, the bluid o his steeny hairt, ah, faist as the win she rins. She is lowpin an lowrin, she is sleekit an sweelin, she is stoot an shargered, wi the sizzens. Ye may cup, but niver catch her, she is wedded tae freedom an licht. Iver seawird she rins, her ilkie wave is ain. She is unity, kelpie-cauld, untamed, gyan timmerin doon the linns, yon is Lithe Lassickie, bride o the muckle Ben!

An gin ye dinna believe that the twa are wed, boo doon bi Lithe Lassickie's side, an pree ye a steen frae her mids, far it bides like a wee pink salmon, kenspeckle an reid wi life ... tak ye a steen frae the bonnie Lithe Lassickie, a shard o her guidman's rib, an merk foo its colours dwime, wi'oot her sloken waves!

Fur even the heich Ben Bodach, even he, maun hae a fier, that his hairt michtna turn tae aisse.

Jean Girnie, the fir stump, grows at ae side o the burnie's lade, an ower the wa stauns her brither, Dour Biggin, the shielin. The Ben niver heeds their jawin, they are as midgies that nip at a sheltie's dowp. He his kent a thoosan o their kin', an he'll ken a thoosan mair ...

Jean Girnie is wizent an soor, her reets are raivelled an snorrelled as a hotterel o vipers. Her bonnie green bairntime fir needles were killt at ae knell o the aix. She sud hae grown tae a lang an a pleisunt reeshlin, a bield fur the birds o the Ben. Bit men hid nae eese fur a fir tree, aa its lanesome. They wad leifer bigg them a shielin, a bield mair fittin fur fowk nur breets, fur climbers an traivellers, an ither gangrel bodies ...

Sae Jean Girnie wis cut doon. An ilkie branch wis planed an haimmered an nailed, haimmered an nailed an planed, till brod bi brod, an bittie bi bittie, up he raise, Dour Biggin, a brither fur the bladdit fir tree, a bonnie muckle sheilin tae gledden the hairts o men. An wisna he vauntie, Dour Biggin, an wisna he prood! "Wis there iver the marra o me?" speired Dour Biggin ae day, o his soor, sma sister, Jean Girnie.

"I'm as gran as Ben Bodach himsel, I'm thinkin, I'm gran'er. Fur fowk wad seen scunner o him, wi'oot ma fower waas an ma reef, tae gie them a bield."

An Jean Girnie's reets ran ice, fur she hated her brither profundly.

"Oh ay, yer a bonnie ain, brither! Ye hae stown ma sap, that sud hae bin spent in growin. The blad in yer timmer is mine ... tak tent, bonnie brither, tak tent ... fur timmer is sma endurin."

Ah, bit Dour Biggin leuch at yon! An ay, he reesed hissel oot.

"I hap men's een frae the sun, I haud the snaw frae their heids and the stew frae their thrapples. Fowk need me, wee sister, mair nur they need Ben Bodach."

Noo, Lithe Lassickie heard their spikk far she lay in her guidman's airm, an Lithe Lassickie cockit her lugs, an listened ...

Jean Girnie wis unca roosed wi her vauntie brither, an spuk frae verra coorseness, bit saft, lest Ben Bodach micht hear ...

"Then foo div fowk niver bide wi ye, bonnie brither? Foo div fowk niver bide? Puckles gyang ower yer door, bit niver dauchle. It's me, fa's best-likit here! Fingal, the chief o the stag fowk, even Fingal, will sherpen his croon agin ma side. Calum, king o the adders, coories doon tae sleep in ma reets. Ye hae the curse o Craik the craw on yer heid, fur reivin his nest, fur he winna reest near ye. It's me, Jean Girnie, that is best-likit here, ony wad tell ye yon."

An Lithe Lassickie heard their spikk an wis dane wi listenin. Up in a breist she rared in a breengin an thunner o waves; hard as a hoof, her roose. An Jean Girnie, the fir stump, chittered frae verra fleg. Calum the king o the adders sliddered awa frae her reets, even Fingal, the chief o the stag fowk, tuik fleg, an hid his croon in the fern. Fur the burn wis fearin tae see, wi the spears o a thoosan storms in her hair, the lowe o destruction bleezin ahin her een. Niver a wird did Lithe Lassickie gie, bit swalled tae the heicht o a kelpie. Fite, an blaik, bi turn, wis the veangefu bride o the Ben, in a nicht o stramash an spuilzie as niver wis kent afore ...

Three ferlies bide on Ben Bodach, a burn, a fir stump, a sheilin. An the burn is bonnie tae see! She is fishfu an mirkie, she is slocken, an iver-rinnin. Jean Girnie, the fir stump, wis claucht in twa on a nicht o thunnerin storm. Bit Calum, the king o the adders, ay bides in her brukken reets, an Fingal, the chief o the stag fowk, ay sherpens his croon on her back. An wee, wee sheets grow green, frae her connached sides. Bit Dour Biggin, her prood, prood brither, is reefless an wae, his rafters are laich wi the fern, an naebody heeds him ava, bit Craik the craw. An aa that he iver says, is this,

"The heicher the price, bonnie sheilin, merk weel, merk weel, the sairer the faa!"

A DAUNDER BEN THE SMIRR

Dauvit Cruikshank wis o middlin heicht, o middlin harns, an wi jist eneuch siller tae keep his heid abune watter an his sheen ooto the dubs o wint. He'd a blae neb, an a blae humour, an he anely lauched tae be sociable, fur his wit wis as dreich's his face, an finiver he DID lauch, his mou wis that bumbazed bi the cheenge o poseetion, it near drapped aff his physog wi begeck. He wore his five an fifty years as wechty's a shire horse ruggin a tractor, booed humfy-backit wi the trauchle o dominie darg, year in, year oot.

He ayewis wore a trilby hat, wi a lirkit trench coatie, wi the collar raxxed up, an the lugs o't rived oot. His breeks war bumshayvelt, an broon, his hose an his buits war broon, an his step wis plappin, an ordnar. That plappin, an ordnar that finiver he traivelled frae the schule tae the municipal park tae chaw his dennertime piece, nae wan daud o girsse geed its ginger tae gie him a secunt luik, nur a first ane either, fur that maitter.

Wooers kinoodlit bi the rose buss, dyeuks dytered an dookit bi the stane troch, wee quines stottit baas teetle the lavvie waas, halflins skate-boorded ben the pathies, mithers keckled inower prams, an flechy tykes gurred an bowfed at the antrin canine dowp, an nane, nae wan o them, baddered tae gie him the time of day, sic an ordnar, plappin, middlin billie wis he.

Even Dauvit Cruikshank himsel acknowledged yon as an incontrovertible fac'. Fin he steekit his een, an raxxed his mou, tae chaw thochtfu-like on his denner, his heid wis as blae's a gairden, a gairden chokit wi thrissles, gey jobby lads at that. A gairden langsyne gien ower tae moose-wabs, an styew, an quate. A gairden far thochts, if thochts they war, war crotchety, contermaschious things, as ordnar's a nettle, or docken, wi feint the sicht o a bonnie flooer in the hale sett oot, tae gledden the hairt ava.

The wikkens o Dauvit Cruikshank war Auld Testament lang, Auld Testament sterk. The wikkens o Dauvit Cruikshank hid the virr o a puffin steam ingin, shunted inno a sidin, pluffin its chooks oot wi anticipatit mileage, bit wi naewye tae gyang. Ae Friday efterneen, as ilkie Friday efterneen, he tirred his glaisses, dichtit them, steekit his desk-tap, hickled his class frae the biggin, donned his trilby hat, buttoned his jaiket, pooched his worsit mochles, an tuik the road fur hame. He didna care fur his middlin hoose. He didna care fur his piddlin-wee gairden. He cared byordnar tho fur his darg, an whyles he winnert fitiver the deil he'd dae, fin pension time wun roon, fur ooto the schule Maister Cruikshank wis a fish ooto watter.

Sax meenits cannie waukin fan him at the mou o the subwye. A soor guff o fooshty win raisse up tae greet him, garrin him hoast. He bocht a paper, faulded it, syne wauchtit doon the escalator, steppin gleg inower the sub-train door, staunin ajee. Wi a wheesh an a skreich an a skirl, the machine wis aff, till, on a suddenty, efter a wheen stations, Dauvit luikit up frae his paper, tae glower straucht intil the wide mou o a lipstick advertisement. Damn the length he'd wun by his richt stop! The doors sweenged open, wi a blatter. He wad needs wauk hame, noo. In gey ill-teem, he breenged furrit, makkin faist fur the stane exit stair that yoamed o dug-pish, an tabby-ens. A negro wis hunkit doon on the boddom step, blawin a blythe air inno a moothie. Dauvit wis angeret wi the negro fur yon. Fit richt hid HE tae be sae pleased wi'sel? The negro luikit as tho he hidna twa bawbees tae rub thegither. Fur aa that, the chiel flashed him a bonnie smile, braid an smitten. Bit the smile didna smit Dauvit wi a better humour. He glowered at the negro, hotterin wi ill-natur. Friday wis the warst day o the wikk. Friday wis twa hale days anent, wi naethin tae dae, like a spare thoomb on a fitbaa'ers haun.

The dominie strode ower the causey, in a fine fizz, that fizzed the mair fin he noticed the road wis skittered wi dubs. Rain! The gutters war swalled wi it. Ilkie neuk an crannie wis reemin wi't. Rain! A thoosan spirklins o seet frae a thoosan rikkin lums plashed an splytered ahin him, as he plytered ben the soss o the sypin puils o watter. Fyauch! Gyad! He kicked it awa. It raise up wi a sploosh o protest, an furled aroon an treetled ahin him, weet, an glaury, an dubby, an Friday an AAWYE!

His showders humfed, booed doon bi the on-ding o watter that niver devauled. The toun at nicht, tae the reid-biddy carls o the sheuch, an the peintit hoors o the derk, wis a pooch fur rypin. The toun at nicht tae the herbour rattens, an wide-winged reengin kirkyaird hoolets, wis a belly o prey.

The toun at nicht, tae a grey-powed, grey-hairted dominie, on a Friday, wi twa hale days anent tae dae naethin, wis ... an echo. The streets furled roon, an doon an in on him, like the inner whorls o a shell, like a muckle black eident ocean, that reeshled an roared an sweeled aboot him at ilkie turn, an yet, niver met him ava. He dauchled, swithered, devauled. There wis naethin tae hash hame fur. Afore him, sprauchled oot like a muckle moose wab, war the auld farrant lanes o the toun, far eildritch gas lichts cast a waukrife lowe ower cobbles an closes, that sleekit up an doon frae hunners o tenement winnocks. Yon wis a deid-en airt, gien ower tae the weird, unca, whimsical; tae droll wee howffs, an droller shops, far a body luikit ahin their showder ilkie secunt step, an lowpit at ony soun.

He fan himsel in a street as teem's a pysoned loch ... Bit, ower the wye, wis a glimmer o licht frae a shop, a sma, cheery lowe. It trysted him tilt like a wasp tae hinney. The twa winnocks o this shop war as knobbly's a taed's back. Even weirder war the picturs screived on the glaiss. Baith picturs war peintit reid an green, giein them near the air o a Cath'lic kirk ...

In ane, a dragon wis warsslin, fair birsslin wi roose, aneth the heel o an armoured knight, his physog happit bi a vizor. In tither stude a tree, a runkled, reid, cruikit tree, wechty wi fruit, its reets like a green, green hotterel o vipers. Straddlin the picture, a sign, in thick derk letters, said bauldly, 'The shop at the Warld's End'. The dominie wis ill-fashcent by natur. The rain wis dingin doon hale watter noo, fair floodin the causey. He tried the haunle o the door, bit it wis ticht snibbed. His thrawness kittled, he heistit his neive tae chap fur admittance, bit got a gey stammygaster, fin the snib wis lowsed afore the clour struck the door. Mair, it wis lowsed by a smilin, noddin chiel, fa seemed tae hae jeloused he'd bin comin ... Yet Dauvit didna feel feart, nur welcomed neither, anely strangely relieved the chiel wis there. The shopkeeper booed till him, biddin him wauk inby, tae owerluik his gear.

An sic can a mirl o whigmaleeries yon shop hid oot on display! Thar war brukken jigsaws. Thar war ivory chess-sets. Thar war tailor's dummies, that niver meeved, excep tae show aff their claes, glaissy-eed, an starin, an a sofa, riven wi a sherp spring. Thar wis muckle o eese, an puckles twis eeseless. It wis aa a maitter of far ye luikit, an whyles the WYE ye luikit.

Thar wis a rickle o banes, hingin frae a cleuk, that cheenged frae banes tae ape, tae man, afore Dauvit's dumfounert een. Fit mainner o chiel wad keep sic an unca shop? The dominie luikit sherp, at the fremmit shopkeeper ...

The shopkeeper wis as unca's his gear. Gin the fower airts hid gaen intil his makkin, he wis neither East nur Wast, Nor' nur Sooth. Tcyauve as he micht, Dauvit Cruikshank cudna hae placed his age, nur his kintra, nur kin. It wis dashed perplexin.

"Fit shop's this, ye hae?" he speired o the chiel.

"Losh, the shop at the warld's en, of coorse. Or its beginnin. It depens on yersel, entirely."

Bit Dauvit wisna listenin. He'd spied a ferlie, cooriet awa in a neuk. Sic a peetifu, dooncast ferlie, it wis, that it wrung his hairt tae see it. Twis a ship in a bottle, an auld farrant, full rigged ship, that sud hae bin briestin the seeven seas, wi a cargo frae mony herbours. Crined, an catched it wis, trappit ahin the glaiss. The dominie crossed the fleer, an catched it up. Finiver he heistit the bottle, a pluffert o snaw furled an birled aroon the ship, an onding as cauld's the Pole Star, an as jeelin's despair itsel.

"Ye may chuse ony ferlie inby, that yer hairt desires," quo the shopkeeper, "fur a fair excheenge. Bit nae siller maun pass atween us. A fair excheenge is the bargain."

"I hae naethin tae gie," quo Dauvit, rale commat.

He luikit lang at the ship, condemned tae perpetual snaw, in its glaiss jyle. Mair nur onythin, he winted tae set it free ...

"I hae naethin tae gie," he murned.

"Aabody his somethin tae gie," whispert the chiel, saftly.

An Dauvit thocht, an thocht again.

"I cud gie ye ma laneliness," he offered first.

"I dinna wint yer laneliness," quo the chiel. "Yon's nae a fair bargain. Gin a man stauns up tae the neb, in a burn, an tells me he's deaved wi drooth, yet winna drink frae thrawnness or dourness, yon's nae consarn o mine."

An Dauvit thocht, an thocht again.

"I cud gie ye ma saul," he offered neist.

"I dinna sikk yer saul," lauched the chiel. "I'm neither the laird o heaven, nur the Earl o Hell. Yer saul's nae yours tae gie. It's a sma bit wave, a pairt o a muckle sea."

An Dauvit turned him roon, an thocht again.

"I cud gie ye ma harns," he offered, syne.

The shopkeeper leuch at the dominie's bargin, an wadna takk it.

"Oh ay, ye've a hantle o harns, ma bonnie birkie. Bit sae hiv I. Fit mair wid ye offer, tae free yon ferlie?"

Sae Dauvit luikit again at the bottle, an raxxed the harns that the shopkeeper didna wint.

"I cud gie ye ma compassion," he offered hinmaist, in a wee, wee vyce.

The shopkeeper cockit his lugs at yon.

"Wid ye tho?" he speired. "It's a gey sma skirp o compassion ye hae tae offer, I'm thinkin. Bit it's queer, ye ken, the afftener ye gie awa compassion, the mair ye hae o't ... Fur an auld ship in a bottle, yon's a fair excheenge."

Finiver the bargain wis struck, it seemed tae Dauvit the jigsaw, the sofa, the shopkeeper, the shop wi its unca ferlies, cheenged tae snawflakes, furlin aroon in an onding o blinnin fite! The bottle, he grippt in his neive, crummilt like sugar, an the sails o the full rigged ship swalled like a swan's breist, sailin saftly up intil the nicht. Fin the storm deed awa, the street, the shop, an the fremmit shopkeeper, tae, hid gaen, an Dauvit stude bumbazed an alane, at the fit o the subwye steps.

A negro, playin a blythe tune inno a moothie, stoppit tae smile at Dauvit. An fur aince, Dauvit smiled back. Nae a muckle, doonricht bosker o a smile, bit a smile fur aa that. An inby the auld farrant gairden, that wis Dauvit Cruikshank's heid, gin ye'd hid a flashy tae licht yer road in, ye'd hae seen a rose ... nae a sonsie, full-bloomed rose, bit a rose, fur aa that, cockit its neb, cannie like, abeen the nettles ...

THE BONNIE BIRDIE

Nae mistakkin yon, ye wad ken the soon' richt aff ... a reeshle o paper, stappit atween braisse; the letterbox faain back tee, like the sneck-sneck o a gull's beak, a meenit's wheesht, as a lichtsome ferlie drappit ben air, tae lan wi a sappy skelp, like a dyeuk in wallies feenishin a braid lowp. The foreneen's mail hid arrived. Andra didna flee ben the hoose tae wheek it up straicht aff; he'd bin telt tae redd up his room. Middens, he wis gart ken, war fur fairmyaird beasties, nae fur cooncil hooses. Raged, he'd bin, like a coorse wee geet wi a snotty snoot, an gien tae unnerstaun his neive wid be teem o siller a hale wikk, gin the sottar wisna sortit. Yon skirted scunner (he widna dignifee the wummin wi the name o 'mither') ay kent foo tae twist his tail fur him.

Tae the heeze o menopausal mingin-minnies fa speired foo she sattled the hash o her teenage offspring, Andra, she replied wi winnin' candour, "I hit him in the pooch far it's maist effective!"

"Man, it maun be a richt comfort, haein a faimly," his mither's closest butty hid jealoused. His mither's closest butty read 'The People's Frien', an niver missed an installment o 'Tak the High Road', she likit tae keep tee wi current affairs. His mither lowered her broos, in denial.

"Naethin o the kin!" she minged, emphatic. "Bairns are tribble wi a capital T. Fin I THINK fit I've daen fur yon loon; fit I've gaen up fur him; fit I've suffered fur him, the damned ingrate that he is! An dis he thank me? Nae him!"

An there, she dichted awa a fause tear, an chokit back a greet, at her sad lot. Fin she strauchtened Andra's tie fur schule, he keeked at his mither's creashie, fite airs, moth-etten wi guilt. A loon sud like his mither. He sud, bit he didna. Her creashie, fite airms mindit him on the wings o an Albatross, the verra Albatross that aince hung frae the neck o the Ancient Mariner. Andra an his mither, he thocht, war condemned tae hirple ower life's braes thegither, a maist unhaley pair, as the Albatross walloped his swyte-reekin socks aneth his faither's neb wi a ...

"THERE'S yer bonnie Andra fur ye. He'd be beeriet in his socks, yon laddie, if I didna rug them aff him bi fair force!"

"Pit it in the paper, foo divn't ye," thocht Andra, at yon, "Tell the warld, foo divn't ye." He imagined the heidlines ...

"Albatross fand deid in cooncil estate. Fooshty socks believed tae be the cause."

"Gin I'd hid half the chances I've gien you," she'd tell him. "Bit I niver complain."

She wis oot in the gairden, e'en noo; he catched a glimsk o her frae the winnock, bobbin aboot amang the lettuces, like a muckle, clorty spurgie, her dweeble spinlly legs powkin atween the veggies, aneth the girthy dowp o her, her sherp een powkin oot the greens she'd prig wi him tae ett at dennertime.

"Sup up yer greens, Andra", she wad say. "Think o the stervin Chinee."

"The stervin Chinee dinna ett greens, mither, they ett rice."

"See fit he dis wi the fine education I gie him?" she'd roar at his faither, fa wisna listenin. "Aa he can dae wi't is be impident!"

Mither, Andra reflected, fulled the space o an Albatross in terms o the guilt he felt, in nae likin her. Itherwise, the wummin wis a spurgie, sma, cheepin, an irritatin-cheerfu, efter the mainner o spurgies, the breed bein aa born optimists, an helluva short-sichtit.

Fin Andra's warld endit ... (fin he'd an argy-bargy wi a fier ... fin his jeans war bladdit, his exams war connached, his plooks war at a heicht, or fin he kent, he jist KENT, that his snoot wis ower big, an his cock ower wee), the Albatross wid screich wi hurtfu lauchter ...

"Och is yon aa!" (makkin licht o life's derkest sorras). "Man, yer a saft lump, Andra. Fin I wis YOUR age ..."

Bit Andra hidna followed the tale o thon donkey fur years. Fit did AGE hae tae dae wi onything, onyroad?

His granmither hid niver howked up HER upbringing, like Yorrick's heid, in accusation. His granmither stude hyne forrit in Andra's queue o VIPs, a cooshie doo o a craitur, she blottit oot the spurgie, in the loon's affections, aathegither.

"Andra!" his mither raisse up frae the lettuces wi a roar. "Yon's postie comin ooto nummer ten. Ging see fit he's brocht tae us."

Andra luikit roon his room. It wis naethin like a midden. The socks warna steamin. He powked a bourich o sarks intil the fleer o his press wi his fit, an gaithered up his LPs intae the linen basket. Syne he clumped doonstairs fur the mail.

There wis a 10p voucher aff the price o a tin o beet polish, twa bills, a government schpeil aboot the poll tax (his faither said yon tax wis richt weel named, seein as foo 'polled' meant libbit, an it aa cam tae the same thing as far as the wirkin class wis consarned), an a mail order catalogue destined fur his granmither, wi a 'Please forward if not at this address' screived ben the face o't.

He sookit his braith in, cannie. His granmither hid bin deid these twa year an mair. She'd left nae forwardin address. Naebody dis, that Andra kent o.

"In my Faither's hoose, are mony mansions," his mither telt him.

"Oh, is that richt?" argyed Andra. "Wis God an estate agent? Wis yon foo Infidels an orrals bed in tents?" His mither hid skelped his lug, fur blasphemy. Yon wis her answer tae ony theological dialogue.

Andra glowered doon at the envelope in his haun. The steekit flap luikit fell like the beak o a deid birdie. He glowered at it, thochtfu. Granmither hidna luikit like a doo, nae the curmurrin, widlan variety ... bit inside, she wis peacefu, gentle, hairmless, an ... an ... acceptin. She acceptit Andra 100%, swyty socks an aa. Na, she hidna bin a bonnie wummin, bit fit odds did luiks makk! A scaffold o banes an skin, a human tattie-bogle, yon wis appearance, aa surface.

Staunin there, mindin on her, his roose wi his mither dwined. It wis as tho the doo hid drappit doon tae reest awhile in an open winnock intae his breist, an wis crooin saftly an harmoniously in tune tae his hairt bluid, rinnin aneth the skin, unseen, like the flicht o a bonnie birdie.

THE WATTERGAW

A chukken scrauned its thrapple sidiewise, clockin ill-fashent inby the kitchie door, heistin a skinniemalinkie hurdie, like a shargeret dooker testin the watter fur the antrin shark, inower the fleer. A rochlin tuck...tuck...TUCKY screiched frae its crap. Ootower the styew an the blawn caff o the fairm toun, Kate Bisset nerrawed her een, an cud jist makk oot the sicht o her uncle, Niaill, an her sax cousins, kinsfolk that differed, ain frae tither, fur aa the warld like the sizzens o the fairmin year. Like steppin steens, the McAllister bairns war, aunt Peg hid drappit a littlin year near ilkie year, an ilkie ain bred tae wark, fur saft hauns dinna stap siller in yer brikk pooch, uncle Niaill ay said, he didna rear a bairn tae be an ornament, na faith ye.

Kate's best-likit cousin wis Colin, the youngest loon, Colin fa gied the tykes their meat, an geed the kye hame ower the parks at gloamin, his lang sappy switch nippin their dowps wi a knell, their dowps that war caked wi sharn, that heezed wi flechs an midgies, fyle Towser, his collie dug, lowpit aroon the latchy erses o them, snappin like a wee wurrit o a firecracker. Colin wis sax month aulder nur Kate, a roch n' tummle, hudderie-heidit, ill-trickit scrat o a loon, eicht years in the growin, swippert's a troot in the Dubh burn, wi chippit front teeth, an a fringe that touslit ower his een, like the tail o a tinkie's plaidie, scurls on his knees, neth his brithers' cut-doon claes, an Kate fair idolised him. He'd a guff aboot him o strae, an yird, a loon-guff, that wis near as fine as the wiff o a new-groomed meer, or a brogue o fresh tanned leather, a guff that wis pure kintra, that differed frae the stank o the toun ...

Fur Kate wis a toun-bred bairn, an anely bairn, the dother o aunt Peg's brither John. In fairm-bred faimlies, like her faither's, aunt Peg's, an uncle Niaill's, thar wisna sic a ferlie's an 'anely' bairn, fur wisna AABODY, as far as the craw cud flee, sib tae aabody else, either bi bluid, or merriege, like the raivelled, taiglit reets an buds o a muckle tree? Faith ye warna safe tae open yer mou tae miscaa naebody, fur saxty miles aroon, fur fear o misfittin their secunt cousin twice removed. Kate fyles winnert that gin ye plytered ben tae the Nor' Pole, like as no there'd be a Bisset, or a McAllister, wytin tae greet ye, speirin gin the hurl hisna mischieved ye, an foo war ye farin at schule, an hid ye a lad yet, an wisn't it time ye gied yer hair a taste o the caimb?

She stude at the kitchie door, watchin her uncle Niaill rowe the tractor ben the knowe at a snail's pace, the teeth o the rake oxterin up the swatches o yalla strae in a roch bourich, tae dry i' the sun, wytin fur the baler, syne tae redd them up ticht an wippit wi towe, fur the bairns tae bigg in raws.

The McAllister bairns hid yoked at the crack o dawn, tae rug on the raws o tacket buits, an darned dungers, that aunt Peg hid set oot ready fur weir an fur wark. Kate sleepit in, clean connached bi the steer arrivin the day afore an the heidy mix o the hill air. The polished lino fleer jeeled her barfit steps, as she stude in her pink flannel goun, admirin the blue an fite brose bowls, keepit i' the kitchie dresser. Milk cam i' the toun in a bottle, whyles on the turn i' the heicht o simmer, whyles wi the tin tap pykit aff bi reivin tits fa clartit an sossed the cream ower their greedy nebs ... niver in a pail, straucht frae the byre.

Inbye, i' the parlour, she lippent tae aunt Peg's vyce on the phone, newsin tae uncle Keith. Aunt Peg's spikk wis the marra o her faither's, the same sing-sang wirds, the same auld-farrant langamachies. Whyles, Kate didna lippen tae her faither at aa ... leastwyes, nae till the sense o't, bit the soun o her faither's vyce wis fine, like watter treetlin ower yer taes, the wirds reeshled ben yer lug, in a rinnin ream o Scots.

"It's fine ye sent Deirdre here tae bide," aunt Peg wis claikin tae uncle Keith. "Forby, John's lass, Kate's guid company fur her, near o an age, an nae acquant wi fairmin wyes."

Kate gied a grue o scunner. She cudna thole her uncle Keith's dother, Deirdre. Deirdre Bisset hid traivelled tae the McAllister's fairm o Dubhbrae frae the hyne-aff clachan bi Loch na h-Oidhche, an airt Kate cud neither pit tongue nur thocht till. Deirdre, she jeloused, wis anely a Bisset bi name, fur the craitur wis aa Campbell, the mither's bluid-stock. She'd the derk hair, an clear blue ee o the Gael, wi a hangle o Heilan cherms, an a mou stap-fu o the orraest jokes a body micht iver hear; the quine hid the mind o a midden.

Efter a whyle, aunt Peg dirdit doon the phone on its wee blaik staa, and scooshlit intae the kitchie.

"Guid mornin, wee Tooshtie - or is't guid efterneen, yer leddieship?" she leuch. Aunt Peg hid a keckle that cud butter baps. She hiver gied a bairn its birth-name, bit ay somethin fey or fantoosh, like 'Latchy-breeks', 'Tipperty's meer', 'Fanny fluff, 'McGinty' or 'Thingmigigs'. Haein sae muckle bairns o her ain, it mau be gey fyky mindin aabodies' richt haunles, Kate jeloused. Aunt Peg caad her man Naiall 'the maister', like he wis some kinno laird, an fed her menfowk first afore weeminbodies, 'jist like the heathens', Kate's mither ay nyittered. "I'm fair famished, aunt Peg," quo Kate, luikin ower a bowl o half-huskit strawb'ries, wi lang een.

"There's a sup parritch ay i' the pot, gin Towser hisna teemed it yet," her aunt returned. "Rin upstairs, an wauken yer cousin Deirdre, or the lazy vratch'll be ettin her brakfast fur denner."

Deirdre wis snod in Janet an Bessie's bed, her touslit hair raxxin ower the bowster like the taigles o a brummle bus. Yestreen, the bold bizzim hid telt Kate she'd a notion for Colin, nae shame in her. Kate wis a dour wee craitur, fa riggit the kirk ilkie Sabbath wi her ma, tae cooer i' the pew frae the Rev Tam McPhail, ragin the backsliders on the 'wages o sin'. "Vengeance is MINE" saith the Rev Tam McPhail, the Lord's heid gaffer. Bit likely the Lord hidna hid time tae pye Deirdre Bisset HER wages, Loch na h-Oidhche bein sic an ooto the wye airt, he'd be sair made tae fin it on the map. She wad hae tae gie Him directions tilt, neist time she'd a meenit.

Mair, ilkie nicht, fin the younger sprigs o the McAllister clan tuik theirsels doon tae the burn fur a dook an a daunder, Kate hid seen cousin Deirdre follow Colin ahin the whin buss, tae cheenge, an tirr her claes. She heard the baith o them kecklin an snicherin thegither. Nae that she blamed Colin, it wis yon limmer Deirdre's wyte, the wee hoor. Deirdre wore a skimpit yalla bikini. Kate hid tae makk dae wi a pair o lang blaik worsit drawers o Bessie's, haein niver ained fantoosh dookers o ony description.

She gied ower tae the sleepin quine, an shoogled her ooto her dwaum.

"Shift yersel. Aunt Peg's wintin ye doonbye."

Deirdre raxxed, an yawned, like a cosie kittlin.

"Wad ye like tae learn a wee Gaelic greetin, worsit dookers?" she speired.

"I micht," quo Kate, gey cannie-like.

"Poch mahon," curmurred the lassie, or sae it soundit, tae Kate's Doric lugs.

"Go on. Let's hear ye ... Poch mahon."

"Poch mahon," quo Kate.

Deirdre lat oot a skirl o triumph.

"Ye've just said 'Kiss ma erse', ye daft wee buggar," she crawed.

Aunt Peg gied the stairheid laldy wi the breem, cuttin the linguistic niceties aff.

Aa foreneen, Kate keepit weel ootower frae Deirdre, an thanks be tae God, the orra tink gied gallavintin intil the clachan near Dubhbrae, wi Janet an Bessie, fur eerins, that same efterneen. An fit wis better, Colin McAllister'd vouchsafed tae takk her a daunder up till the peat cut, gin the weather spyled the hyemakkin. At denner, she cud scarce sup her broth fur hotchin wi excitement, fur the lift hid turned gurly, like an auld man ooto kilter, the thocht o a hoast in his thrapple. Syne, the clouds gied heelstergowdie thegither, hashin an clashin in a knell o thunner, as faist an terrible as uncle Niaill's temper fin he lost it, which wisna aften, an niver wioot guid cause. The rain gied a spirk, a splooter, a splyter, a dreep, dreep, dreep, that connached the thocht o hye, tae Kate's delicht. It dreepit saft, like the skirps frae a tinkie's washin, ower the heids o the twa bairns, as they jinkit the neuk o the byre. Heich ben the peat cut they traivelled, doon far the girsse wis weet, an jobby wi thrussels, far mowdie hid humfy-backit the yird wi's powkin snoot, an the sharn wis sliddery in dollops o rikkin broon, far the kye hid dauchled, aneth the bowdy birks.

Colin turned quate, betimes, an devauled wi a luik o Towser in his ee, fin yon tyke kent the guff o a moose.

"Fit's adee?" speired the quine. Bit the loon wis tense, an listnin.

"Wheesht. They're there, aneth us." He drapt on the grun like a hawk, streekin his lug teetle the yird. "Doon here. A rubbit's nest, wi littlins."

He motioned Kate inbye. Dippin her heid tae the girse, sae faint, sae saft, she cud just makk oot the dirdin o teenie paws, a-dirl ben the dubs, a squallachin an snocherin an pyocherin o ferlies young, an new. The loon rowed up his sark sleeves, ticht till the croon o his oxter, fan him a lang, straucht stick, and powkit it cannit, hyne inno the mou o the rubbit's hame. Efter a wheen yarks an rugs, he pulled oot the stick, an raxxed his airm inno the black mou o the yird. "Oh cannie, Colin, thon's mebbe an aidder doonbye, or a tod," Kate cried, rale fleggit. "Damn the fear," leuch the loon. "The aidder bides bi the dyke ahin the burn, an the tod's nae biggit sae sma as cud breech yon hole."

Syne he rived oot, scruff o the neck, the teeniest toosht o a rubbit the lass hid iver seen, wi stringgles o'ts mither's fur ay wippit aroon't, frae the cradle o her cosie breist. He passed the petrifeed breet intae Kate's twa hauns, far it coord, trimmlin an shuddrin, its hairt lowpin heich like a puddock, its een gaen gappit wi grue. Ain, twa, three, fower mair times, the lang powkin airm o the loon delled doon the rubbit's hoose, till aa her bairns war heistit intil the daylicht.

"Gie the rubbit back tae me, Kate," Colin telt her.

"Oh bit it's bonnie, bonnie," the quine cried, pettin the wee bit rubbit, as she haundit it ower.

His airm raise heich ower his heid, roon in an arc, as he brocht the broo o the breet wallopin doon, K-NELL, fu force, on the tap o a sherp, coorse steen. The craitur shuddert a meenit, then lay still. Kate gaed cauld wi the sicht o't. She booed forrit, an cradlit the brukken pyock o beens. Her haun felt sossy ... a treelip o bluid, like a thin reid vein, treetled atween her fingers.

"Foo cud ye?" she speired, dumfounert.

"They've nae richt tae set fit on wir lan, ettin wir maet. Vermin, yon's fit they are. Vermin."

"I ett yer maet, Colin McAllister. Am I vermin? Mebbe ye'd like tae thrapple me!"

"Dinna spikk daft, like a wummin. Ye're kin, ye're sib tae us. Forby, the lan wid be bladdit an wastit bi rubbits, gin ye didna kill them. Think on yon, gin ye MAUN think." An afore Kate drew braith, he'd slaughtered the tither three. "Isn't yon the bonniest wattergaw, glimmerin owerbye Mortlich?" speired he, dichtin his bluidy hauns ower the girse. Bit tae Kate, the wattergaw luikit unca like the blade o a scythe, weet, an sherp, an cruel, hingin hungry there ower the hill, a coorse, killin scythe, that kentna mercy. Aa the warmth hid fled frae the day. They gaed back tae the fairm, in silence.

Ower the neist puckle days, tho, the rubbits war sune forgotten. Didna Colin larn her the wye tae wean the calfies, lattin their sappy, slivery mous slubber aroon her fingers, garrin them think they war teats, guidin their sliddery nebs inno a pail reamin wi creamy milk? An the days fair flew, like a gowden linn o meenits, fur aabody's bairnhood seems halcyon, an Kate didna mind gaun dookin in blaik worsit drawers onymair, fur she wis a faister sweemer nur Deirdre, an better formed i the queats.

On the hinmaist day o her veesit, aunt Peg gart her bide i the kitchie, greasin the girdle ower the stove, fur a makkin o scones. "I ken foo yer faither enjoys them," quo she. "Wi a fine pat o hame made butter, an a pot or twa o hedder hinney on tap." Tho aunt Peg niver cam richt oot wi't, Kate jeloused that she kent her mither niver bakit ava, bit bocht pieces frae the Co-opy van insteid. A screich frae the yaird sent baith o them ower tae the winnock.

Deirdre wis stalkin the auld, mirl-eed tomcat, Blackie, roon the neuk o the peat shed. His birse wis up, he wis roosed, an spitting saxpences o rage. Syne, Deirdre breenged forrit, grippit his tail, furled him roon her heid like a birl or a lassoo, an haived him straicht intae the barn waa. He lat oot ae wild wallagoo o a skirl, an drapt tae the grun, his back brukken. Afore aunt Peg or Kate cud blink an ee, uncle Niaill, fa wis hackin kinnlin, hid ootflang the aix, an heistit Deirdre sax fit aff the warld wi the tae o's buit. Fin she landit, he skelpit her dock till it stouned. It dirled a body's ee just tae watch thon leatherin.

"Yon cat wis the best damnt rat-catcher iver we hid, an thon coorse wee bizzim up an kills him. She disna deserve tae thrive. Brither's bairn or NAE brither's bairn, kin or NAE kin, she gaes hame the morn, fin Kate leaves, an she'll nae be socht back in a hurry!"

It wis aa richt tae wirk WI the McAllisters, thocht Kate, bit God help ye, breet or bairn, fin ye wirked AGIN them!

Kate's mither acceptit the hinney an scones gey huffy. "Nae doot yer aunt Peg thinks I sterve yer faither," quo she, bit didna pursue the maitter. The toun wis teem, an queer, efter the steer o the fairm, tint o kittlins, an Towser, the chuckens an calfies an kye. Kate glowered frae the spars o her ain back yett, dooncast, an scunnert, an lanely. Whyles, she thocht hersel an her fowk war marooned i the toun, its wyes, its spikk, its pace, differed sae muckle frae their ain. She wis first-generation tounie, neither fish nur fowl.

Syne Willie Rennie, frae the en hoose, daundered by. Mrs Bisset likit the Rennies, they ained a grocer's shop, war incomers frae the kintra, tae.

"Guid stock, the Rennies," quo her mither. "Like wirsels."

At Willie's askin, Kate gaed ontil the cassies, fur a gemme o bools, afore tea. A splyter o rain turned the styew weet. Sune, a wee turbanned Sikh ran ower the road, as muckle a stammygaster o a ferlie in yon airt, as a pheasant plunked on a midden wad hae bin.

Willie Rennie heistit a steen, tuik cannie aim, an cloored the fremmit bairn, squar on the broo. The Sikh littlin tuik fleg, an ran aff, greetin.

"There. Yon let him ken far he stauns. They've nae richt tae be here in wir lan ettin wir maet. Aabody sez so."

Abune the factory lum, ahin the rikky gaswirks, there hung a wattergaw, that luikit unca like the blade o a scythe, weet, an sherp, an cruel, a coorse, killin scythe, that kent nae mercy ...

COUNT TO TEN

A light shower of rain had drawn the strong smell of trampled grass sharply into the air. Children trickled between amusement arcades, that rose, incongruous as Moslem minarets, on the village green. Garish wooden horses impaled on sugar-stick stands whirled round giggling youngsters, whilst Madame Zsa Zsa, renowned palmist of international repute, slouched against the steps of her caravan, her tight cheap blouse struggling to contain the cups of oriental delights which attracted the gaze of beardless boys and red-faced stockmen alike. Men with an eye for beasts admired substantial women. Nearby, housed in a boy scout tent of prim khaki, was "The Smallest Circus on Earth", its carnival fanfare, blaring on a tinny record player, swamped out by skirls from the crowd, as a caber in the Games ring thudded over in perfect style. Admission to "The Smallest Circus on Earth" was 30p.

"Pye us in, ma," chimed two voices, a practised whine.

Their long-suffering parent foresaw, clearer than any palmist, that 60p was a cheap price to pay for ten minutes' peace. She counted the money into a young gypsy's hand, and lit up a cigarette.

"Aren't you coming in too, missis?" he chirped. Libbie Cruickshank glanced into the tent. A handful of bored rodents, ridiculously dressed in Mickey Mouse attire, lounged on Lilliputian swings, or ricocheted round plastic spirals like demented Catherine wheels, depending on their humour, or excitability.

"I'm waitin' for their da," she said, tersely.

This was not strictly true. Every year, with the fatality of lemmings, the Cruickshank family left their suburban home to visit the Inverithie Games.

For George Cruickshank, it was the binge of the year, a time to huddle tipsily under the marquee tent with kith and kin, drinking deeply of cheap hot whisky from cracked plastic cups and raking over the ashes of old comrades, old courtships.

For Libbie Cruickshank, her outlines billowing with third child, very much enceinte, it was a pilgrimage to Purgatory. It was virtually impossible to keep the children together - they careered skittishly unbiddable from one delight to the next. There were blubbering goldfish in bowls, exotic bearded women, the air a-scream with music, the day filled with flying legs in topsy-turvy milkshake tumbling machines, adrift in the magic of Games Day that hit the community with the force of a flood. Spend, spend, spend; cattlemen and crofters, simpering shopgirls, soldiers, and swaggering teenagers submitting like sheep to the Big Fleece. For once, Scots thrift was given the thumbs down; frippery and flotsam, ephemeral as candy floss whored away their hard-earned pounds in a spree where somehow the tawdriness didn't matter. George Cruickshank, paying London prices for adulterated whisky, would raise not one bleat of complaint, till next day. By then, the Games would be only a sour memory in his mouth. "The Smallest Circus on Earth" had been a good investment. Ten minutes had come and gone, and the wee buggers were still inside. Libbie indulged in the luxury of a second cigarette, the smoke curled lazily into the sky. Why couldn't her children be content to sit at the ringside watching the real Games? Dougal

Ban would be competing this year in the heavy events. Dougal, head keeper now on the Inverithie Estates. Dougal, who'd been such a wimp as a boy. God, it was laughable!

Libbie closed her eyes and the Games dissolved around her, like mist. In its place, was a sweet-running burn by a fir wood, and a cluster of woven branches propped up on resinous tree roots, that had been the gang hut.

Dougal Ban would be wearing his kilt and tweed jacket today. Then, he'd been dressed like the other boys, in black shiny leather, à la Elvis Presley, his dark hair combed into a lacquered quiff. The gang had used the hut as a secret den, for smoking, and for the first fumbling lessons in love play. Libbie, gauche and gawky, with no steady beau, had somehow been paired off with Dougal. They had crawled into the darkness of tangled fir like reluctant moles, Dougal, all bravado, but sickly white beneath his acne, Libbie following, a mask of cheap make-up plastered over her insecurity, steeling herself to meet his advances. They had stared at each other, mutually terrified.

"Ye dinna really want a kiss?" Dougal had asked, hopefully.

"I'm no' bothered," she'd replied, secretly relieved. They'd stayed together just long enough to make it seem as though something had actually happened, before emerging to a gang chorus of wolf whistles.

"Did ye get up tae ten?" asked Neil Rannoch, the gang leader.

Libbie affected a blush.

"We got up tae eight," lied Dougal manfully. And then, Libbie really could have kissed him, for saving face. Experience in such matters was calculated by Neil Rannoch on a points system. One was a straightforward no-hands-deviating kiss, two was a love bite, but no one but Rannoch had ever scored the magical ten, though they only had his word he had ever done it at all, with the village daftie at that, an older woman, soft in the head, who was known as the local bicycle.

Libbie opened her eyes, jarred back to the present by a howl from the crowd. Dougal had won a place with the winners. She frowned in recognition at the couple coming towards her. The man was swarthy, with the brown eyes and thick hair of the hill-bred folk. His wife, a townswoman, was pallid with peroxide tinted perm. Libbie felt a dull flush rise unsolicited from throat to temples. It was Rannoch, now a successful builder, with a sharp city suit and a paunch. She swallowed hard, recalling a Games night in the distant past when, suffused with drink, they had both reached the number ten. Crimson with embarrassment, she ducked into the tent.

"Thirty pence, missus!" snapped the gypsy. She fumbled in her purse for the money. The children were poking a white guinea pig. It was either incredibly dead or incredibly tired. Games Day was a goldfish bowl, she reflected. A horrible, horrible goldfish bowl where past and present swam round together, forever bumping into each other. Not that that worried George. He'd enjoyed the reputation of being a ladies' man ... the old double standard. For women, though, morality affected the stance of Australia. It wilfully stood on its head. The Rannochs had seen her hurried retreat.

"Honest, Mary, I widna touch yon Libbie. She wis jist a bit on the side. Lang ago.

A wee hoor."

Libbie's temper flared. For two pins she'd clout Neil Rannoch till his ear dirled. She drew hard on her cigarette. Let it rest. Let it rest. Under currents of old liaisons, like dangerous water, lipped round every Games. In the teen-times of courtship, many couples formed back-of-the-dyke ties that fizzled out like moor-fires when they settled into matrimony with "Mr Right", that figment of Godfrey Winn-type imaginings. There had been George's fling with Mysie Craib, before she had married the butcher from Dunbrae. Libbie was certain that the butcher from Dunbrae added 10p to her bill every time she shopped at his premises because of it ...

Rannoch and his wife were drifting across to the ringside, a dark eddy drawn back into the stream of blood-ties that ran through the veins of the hill-folk, and pulled them like salmon back to their birthplace in this once-yearly Celtic bonanza. The dancers' prizes had been given out. The pipes were droning to a dull deflation. Thank God, it was over for another year.

"Money for the chippie, mam? We could eat a horse!"

Looking into her children's gluttinous faces, Libbie could well believe it. With a sigh of resignation, she picked her way fastidiously over squashed beer cans, the day's debauchery dribbling into the turf. George was leaning over the bar, his shirt a fresco of spilled beer and spots of John Begg. He had reached that stage of Scots inebriation bordering on Bannockburn – cocky, bellicose, and almost legless. Simpering at his side, the spectre at the feast, was Mysie Craib, gazing fondly at him with a look of one who has known him over long, and over well. Libbie shrugged philosophically.

Count to ten, she thought, count to ten ...

THE FOOD PARCEL

Jean Mathers liked to visit her Uncle John. Every family had its black sheep, and Uncle John was as black an old ram as anyone could wish for - his skeleton did not rattle in the cupboard of kinship - it rumbled like Vesuvius. He lived quite on the other side of town, where paint peeled off anonymous doors, and there wasn't a cranny that wasn't a garbage accumulator.

Her father disliked driving through this quarter of the city - on the rare occasions when he did so, his fists tightened perceptibly on the wheel, and he sneaked anxious looks down crumbling alleyways, as if expecting the full force of a vandals' vendetta to single him out for destruction. He rarely mentioned Uncle John, and when he did, it was with a sigh, as if discussing an Angel fallen from grace.

Uncle John, on the other hand, was only too proud of the ties of kindred. He never missed a funeral, turning up faithfully with the hearse, smiling winsomely at the rows of tut-tutting fur coats and mothballed bowlers sitting in censorious respectability around him.

"Anither ane awa," Uncle John would say, with genuine regret. "Ah weel - he / she had a guid innins."

Furtively, over her hymn book, Jean would examine him with a delicious shudder of disapproval. He always reminded her of Al Capone. His fashion sense had stopped, like a broken clock, in the Thirties, and he wore gangster-style pinstripe suits of nigger brown, set off by grimy shirts, his long black hair curled over the collar as lank and greasy as a mechanic's work rag. What had been a handsome mouth had deteriorated into a nightmare of broken stumps and offensive gums, but it was inevitably set in a smile.

His children were a Fagin's litter. They were never free of trouble - a criminal element, from a criminal area, engaging in petty crime as happily as other children seek out conkers or collect eggs. Except that their conkers were lead pipes, and their eggs the confectionery kind, courtesy of Woolworth's.

She asked one of them, once, if fear of discovery did not deter them. "We just greet, an' promise nae tae dae it again. Greetin's a gran' wye tae get ye aff."

Sometimes the phone would ring, and her father would mutter darkly into the mouthpiece, "It's on page eight o' the papers - three paragraphs, nae less! He should think black burnin' shame on himsel, bringing' his bairns up tae that."

For of course, crime never paid - the cousins were always caught, were eternally awaiting Her Majesty's pleasure, "pending background reports". They were so handsome, too, in a gypsy way, but with a frightening catalogue of sins filed against them. The eldest boy had knifed a rival in a jealous row over a girlfriend; his sister, less flamboyant, had been charged with causing various affrays of a trivial and distressing nature, all the result of a fiery temper, unbridled. But mostly the dreary paragraphs in the papers referred to small time thieving, at which they were exceedingly active, but very inept.

One day, word came of a different calibre of misery. Uncle John's wife, Aggie, had left him - run off with one of her son's pals. Jean expected to hear the usual diatribe of disapproval, but quite the reverse. Everyone thought it would be the making of him. Auntie Aggie had never been a favourite with Jean's folk ... She wore too tight sweaters, heavy mascara, and her husky voice spoke of lurid nights and too many full-strength Capstan cigarettes. She invariably smelt like a female reservoir of John Begg whisky. Yet Jean could imagine her in her courting days, looking like a sultry doll, before child-bearing and poverty had made a cosmetic ruin out of her.

"Naething o' the kin'," snapped Mrs Mathers, shattering the little illusion. "Aggie wis aye a trollop. She picked yer Uncle John up at a bus stop ae nicht. She's bin the damnation o' the puir man - he's better aff withoot her." The family rallied round its skeleton, albeit reluctantly. A food parcel arrived from the country - a pink, trussed hen, goosepimpled, stark, and headless, laid in the depths of a cardboard box, jostled by turnips and other culinary delights. He would not be allowed to starve at any rate.

There remained the vexed matter of who should deliver it, and the lot fell upon the Mathers family. They drove through the sparkling lights of the city, an aurora borealis of neon, past acres of granite gentility, which gradually gave way to danker, darker houses, seedy patchworks of concrete and corrugated iron. At last, below on the right, like a black pariah, lay the squalor of homes that was her uncle's ghetto abode, repository of the town's unwanted citizens.

The warm putt-putts of the engine died as the ignition key was switched off. Her father's fingers drummed nervously on the steering wheel.

"Up ye go wi' the parcel, lassie, an' be quick aboot it. An' gie ma regards tae yer uncle." This last was said with no great enthusiasm.

John stayed at the top of a crumbling stone stairway, an eyrie ringed by spittle and dog excreta - the very walls of the lobby were smeared with filth. As she walked up the gloomy stairs, she felt a surge of compassion for her uncle - his pathetic pride in his family - his struggle to bring them up decently, and not one of them worth a tinker's cuss. At the top step she halted, and struck a match. It sputtered and went out, but a second one held the flame. She held it high, peering at the door. It was bare of everything, except a broken handle, and four names, scrawled in illiterate handwriting; she could just make out "Mathers" underneath. She knocked imperiously, and waited. A squinting, grey-haired woman, balding and red-faced, answered the door. Giving her no time to protest, Jean shoved past bearing the parcel into the parlour. Uncle John was at his evening meal - a slimy collation of chips, spread over an old magazine. The other occupants of the room, all strange to her, took note of her well-cut clothes and clean appearance, and went on the offensive, assuming her to be an official of some description and therefore a threat. The girl experienced a moment of fear, till her uncle's familiar nasal twang set them at ease.

"Staun' back - yon's Davie's lassie - an' wi' a wee parcel for her Uncle John!" There were tears of gratitude in his eyes. "Yon's handsome o' them - richt handsome. Aye - we aye stuck thegither, the Mathers. Bluid's thicker nor watter. They niver forget their wee Johnny."

Jean smiled, absentmindedly looking down to the street below. The car engine had started up again. The visit was over.

FLESH AND BLOOD

The holiday brochure lay at an angle, partially obscured by fishing lines and lures. It had been left by the previous occupants of the caravan, folk like Kate and her family with a hankering for the exotic but a purse for the parochial. Its cover was pure Ad-Man hokum, a Mr and Mrs with their two statistically bright, clean sturdy children, so perfect they could have walked straight off a reel of Nazi propaganda film. The Averages were pictured jetting through the waves, two of life's copers surfing alongside their hygienically tooth-glittering offspring, coyly beckoning the reader into the pages.

Who believed this myth of zestful, family Utopia? The halcyon days of parent-child togetherness? Kate had believed it, not so long ago ... The subtle inferences of parents selling the insurance man, foot-in-the-door approach, that children were genetic passports to immortality. The "come on in, the water's fine" approach of married peers, who said quite plainly that children were proof of your fertility, fruits of your loins, and dammit, you were born to perpetuate the species - the most gigantic confidence trick of all time. Because children, to Kate, were none of these things. They were a twenty-four-hour job with no chance of promotion, no time off. Nor did you require references to come by them, no aptitude test, or initial screening. They were a play which you created a title for, which then contrarily proceeded to rewrite itself. And you'd never even see the finale, because you'd be dead before the last act.

Brochures should be censored, banned. Brochures were untruths. Holidays en famille were hell.

"I've caught a trout! A trout! Can we eat it now? Please? Please?"

Her son's voice exploded with the violence of a small Hiroshima within the walls of the caravan. Kate shrugged wearily. Everything had to be now, just when Keith wanted it. Still, his exuberance was almost preferable to his sister's blank inertia. She looked at her little daughter.

Cath sat, a Dresden doll, beautiful, submissive, dense. Kate had so wanted her to be a boy, the old mother-son thing. She'd stared in disbelief at the midwife, holding the wet baby up for approval, new and crumpled.

"It's a girl, a lovely girl."

It couldn't possibly be a girl. Not after so much painful effort. Kate had felt cheated and resentful. Cath was so female, so biddable, so adorable ... so unwanted. And so consuming. Perversely, sensing rejection, the child clung doggedly to her mother, hungry for attention.

Business kept their father away all day. When he came home, tired and snappish, he would ask accusingly, "Is the racket necessary? Can't a man get any peace? Exert some control, Kate. They are your children, dammit."

For John Neish hated noise. Her children. Never his, only when they were good, which was when they were asleep, or to bolster his macho image before his friends. Then it was "My son Keith...".

So Kate would prepare a quick meal, dump Cath in the pram, help Keith on with his wellingtons and walk them around the town, leaving John in possession of his precious quiet.

Keith bullied his sister; despite herself, Kate indulged him. Men were supposed to be masterful. Oddly, the more flaws she discovered in her son, the more she loved him, whereas Cath, so docile, so anxious to please, became more and more of an irritation.

She'd been mending a puncture on Keith's bike last month, one of the 101 jobs that John never seemed to get round to.

"Mummy, Mummy. Come see!" Cath gurgled, from behind the kitchen door. Kate instinctively switched off the request, deaf to all but the immediate issue of the puncture. One thing at a time. Keep calm. The demands were never-ending ... Cath had gone quiet. She often did, wasn't given to tantrums. She'd learned to suck her thumb and wait. It was what women do best, waiting, getting in the queue behind their brothers.

When Kate finally opened the door, she did so with a long silent scream of revulsion. The toddler's training potty was upturned by the cooker. Cath was smeared in excreta, face, arms, legs. She looked at her mother with a pleasant expression. "Cath painting."

Kate hit her, over and over.

"Dirty bitch. Bloody dirty wee bitch."

She dragged the crying child upstairs, flung her into a bath and scrubbed the filth off, stomach heaving with disgust.

Afterwards, seeing Cath so bewildered and frightened, she'd been sorry. She bought her a toy, a cheap plastic doll. The girl had no way of sensing the deception, that the gift was a guilt token. She'd raised her face for a kiss.

Kate pushed her away.

"Kissing's for babies."

"You kiss Keith."

Keith ... the trout. Kate's mind refocused on the present. The trout was gulping for breath, a fat shining comma of fright impaled on his hook. Keith hit it; it flopped its tail, and lay inert on the white slab of formica table. Cath began to snivel.

"It didn't hurt you, Keith. You didn't need to kill it. You'll be punished."

Whatever would the girl say next? Kate slit the fish open and gutted it. The salty trout smell rose sharply in the air, a wet smell, an all-pervasive smell. Even as she wiped the knife, it seemed the smell acquired a human element, thick and heavy. Growing and growing, like Gulliver, guilt was squeezing her out. Soon, there would be no space left, the small pocket of identity that had been Kate would be smothered, by flesh and blood.

THE HONEY THAT CAME FROM THE SEA

Every arching neck in the humid, human circle was craned upward; every gape-mouthed boy was trembling-tight with watching; every lip-sticky, sweet-sucking girl was abrink with thrill; and every, but every eye was fixed with morbid intensity on the tiny, puce-coloured tights of Dolores, the high-wire walker, precariously picking a line 200 feet in the air. Hannibal, the wrinkled old Jumbo, slumped like a sack of gigantic oats by a star-spangled drum, trumpeted up a gigantic roar, flapping his cabbage-leaf ears with the force of a blacksmith's bellows. The crowd sighed, a prodded sea anemone, aquiver with delighted alarm, as the little tightrope walker stumbled, losing her concentration, stumbled and wobbled over the dizzying drop.

Would it happen tonight? Would it happen tonight? Would the circus star tumble out of her heavenly certainty and smash into a thousand atoms in the arena dust? How horrible, how dreadful, how splendiferous if she did! The anticipation sent shivers of pleasure rippling through one and all.

The puce-coloured tights with their sparkling of spangles, however, steadied beneath the balancing, outstretched arms, that tilted and swayed, swayed and tilted and settled, like an experienced glider, like the crossed spars of a puppeteer's doll. Had the enthralled spectators been nearer, they might have seen the face of Dolores the tightrope walker turn pale as a pierrot clown beneath the mask of her heavy stage make up and the dove-grey satin leotard that clung to her small breasts rise and fall as rapidly as a captive, fluttering bird in a cage.

An expert seamstress, threading a needle of excitement, she was fully alert now. The one near-fatal slip had tautened her caution. The remainder of the act proceeded without further mishap. When she curled one leg, coy as a comma, round the thick rope, and tossed her plumed head till the feathers bounced on a pillow of air; when she slithered lithe as an eel down the rope and kicked it carelessly aside, and bowed her head, as if fencing with death was nothing, the audience rose, rank by rank. Their applause was a burst of exploding fireworks. Off the high wire the circus girl was quite ungainly; clumsy, even. She walked like a ploughboy, on the balls of her feet. The applause dribbled down to a halt as she clumped off on satin pumps, leaving the animal smells of the tent to Barnet, the seal master, cracking his menagerie to yelps of ecstatic approval.

Saunders the tumbler was waiting for her as usual, in her cream-coloured caravan, the clouds of his fat cigar curling aromatically round her home, a summer nimbus. It was good to relax in the company of a friend, and Saunders was an unobtrusive man. His claims on Dolores' time were slight but pleasant. For, in common with many circus people, the high-wire artist did not care to be tied down or rooted in any way. The shiftless, transitory gypsy life was a fine one, meeting each town afresh, leaving it, before the quality of wonder and exploration had turned sour.

Saunders had half an hour to kill before his turn to enter the arena. He watched the tightrope walker with gentle amusement as she removed successive layers of cosmetic chicanery; like another level of spurious grandeur and make-believe. Right down to the bottom rung, to the pastry-pallid cheeks that struck an off-colour note beside the bruised, red, gash of the small, fat lips. Right down to the face, not of Dolores the circus performer, but of Miss Amelia Sotherby-Bates of Whinneyfold, East Worthing, daughter of Jeremy Sotherby-Bates, M.P. for Worthing West, and his wife Mabel-Ann, who was terribly fond of babies and terribly fond of good causes, as an M.P.'s wife should be, in Worthing, Watford, or Gjinokastër for that matter. But neither Jeremy Sotherby-Bates, nor Mabel-Ann, had been terribly fond of Amelia, who was supremely indifferent to babies, and cared for good causes not a straw.

She had dismayed her parents by a succession of anti-social activities; had refused to shake hands with sweaty, effusive matrons at church bazaars; had absolutely and categorically dug in her heels and resisted all attempts to cram her dumpy personage into an amenable package of simpering civility at any of her mother's fund-raising functions. In short, Miss Amelia Sotherby-Bates had been a troublesome pain-in-the-ass from the word go, to the World, to Worthing, to everyone, from the day her umbilical cord had knotted itself round her navel. When, therefore, she ran off with a visiting circus, the Sotherby-Bateses had shown an understandable lack of interest in retrieving their disagreeable offspring. They had stitched up the rent in the family fabric caused by the bête-noire's removal in a neat piece of invisible sewing; as if Amelia Sotherby-Bates had never existed, which suited Dolores the tightrope walker down to a Z.

Saunders the tumbler handed her over a last wipe of powder-remover and watched her grimace as the final skin of greasepaint was smeared off.

"That was a close-run thing, tonight, Dolores," he said. The girl shrugged, pouted. She disliked her Amelia face, its plain, pallid contours, its hollow, staring eyes, the crimson slash of its mouth. Under the gold plumes her hair was lank and shapeless. She bent down wearily, unrolling the puce-coloured tights in their glitter of spangles, revealing goose-pimpled legs where the blue veins showed too clearly her tiredness. The satin pumps were replaced by two worn leather sandals. Not one of the audience, seeing her slumped before the mirror in her little caravan, would have given her a glance, let alone a cheer. She was as plain, as uninteresting, as mutton.

"We could go for a drink somewhere. It's a lovely night," said Saunders, though he already knew what her answer would be. He felt it too, when his act was over, that sense of emptiness. Offstage neither had anything left to give. They merely crumpled in on themselves. It was that way with many performers.

The girl felt very shaken. The close brush with catastrophe had affected her more than she cared to admit, even to Saunders.

The circus was camped on a stance within five minutes' walk of the sea.

"Not tonight, Saunders," she replied, feeling suddenly rather old. "I think I'd like to stroll a while, on the beach before turning in."

The tumbler nodded, understanding, and walked along a little of the road with her. He stopped, however, at the periphery of the circus area. He never felt completely easy out of the circus boundaries. Across the parched rough grass between the circus and the beach the sea glistened, making the beach shimmer like a ring of Saturn, all fawn and curving, through waves of warmth. Beyond it, the sea lapped and rocked, curiously static, a listener knocking at a door.

"It's very open, the sea," said Saunders the tumbler, quizzically.

"Very open," Amelia agreed. But already she had left him.

At first, the experience of traversing sand, flat and aimless, not tense and tentative as on the high wire, was interesting. Gradually, however, the newness wore off and the circus girl felt lost and useless. Her toe kicked a piece of debris, a broken compass, as if North, South, East or West made any difference to the timeless, directionless, fathomless, surge of the ocean! What navigated the navigator?

After an hour of aimless walking, Amelia lay down on the beach. The sand was soft, warm, neutral, tingling. It was a mingling of thousands of different particles - you couldn't call it a beach, you couldn't lump those tiny fragments of peach-bright flakes together. Each was separate, each sifted through her fingers like seconds in an hour-glass dripping, dripping, running, running back ... She felt like a child again, and began to cover herself up, playing a game with the sand, the vanishing game, covering herself up ...

When she was dead and buried, when she was buried and dead, would anyone know that Amelia Sotherby-Bates had once run off with a circus to walk the high-wire twice nightly? Indeed, did it matter at all if anyone knew, or if anyone cared? The sea was flat as a mill pond, calm. It seemed to have swallowed the sky. The horizon had quite disappeared.

But not entirely. There was some movement, a stirring of water.

Something was drifting into the shore, something conical, something peculiar. Something was coming out of the sea. That something was floating directly towards Amelia. The tightrope walker flung off the light covering of sand, rose up and walked down to the water's edge to meet it. She waded into the sea, not noticing its depth, nor its unusual purity, nor the way it hugged and wrapped her around in icy, welcoming waves. The something was clear enough to see, to reach out for, to examine.

The something was a large, gold dish, the size of a town clock-face, and on it, was heaped an anthill, oozing with honey.

"A bee makes honey," thought Amelia Sotherby-Bates, more struck by this thought than by the sight of the gold dish with its cargo of ants sitting lightly on top of the sea.

How busy the ants were! What a miracle of engineering their homes, so close, so close! Yet they never seemed to collide, so industrious, so engrossed in their work, it tired her out to watch them! And the faster they worked, the sweeter grew their honey. Brown and gold, and everywhere it flowed, from secret inner springs.

"Why are you all so busy?" Amelia asked.

"No time to talk, no time to talk," cried myriad voices. "We have no time for one, in the hill of the ants. Here, each one works for the whole. Thus is our honey sweet. We pool our labours. We have no time for one."

Amelia Sotherby-Bates looked back to the empty beach, looked back across and over the parched, rough grass, to the tinsel minarets of the circus tent where twice-nightly, in puce-coloured tights, Dolores the high-wire walker trod a thin line of glory. She could almost hear the human circle below, willing her feet to fall - the animal baying of their calls, a ring of wolfish teeth.

The smell of the honey was sweet, overpoweringly so. The smallest of steps it was, onto the golden plate, yet the longest, most daring step of her whole life, as she entered the hill of ants ...

Next morning, the circus found it was lacking a high-wire artist; but someone would always be found to fill the breach, someone hungry for glory, willing to pay the price. And whether the huddle of clothes on the beach belonged to Amelia Sotherby-Bates or Dolores, the tightrope girl, was anyone's guess, though Saunders the tumbler certainly thought he knew.

THE MIRROR

With a cluck of exasperation, John Hartwell glanced at his watch, his fingers clenched round the wheel like an anchored limpet, resigned to the incoming tide. He viewed 'days out' en famille, with the stoical fatalism of King Canute. "Is she coming with us on this picnic or isn't she?" he demanded, in a voice of dejected martyrdom. It was glorious hill-walking weather, but as his wife Mavis never tired of telling him, "a family man has his obligations". His wife, Mavis, propelled her angular frame across his lap, squeezing her lips into ridiculous pouts, like an infant gorilla attempting to suckle, wrenching his driving mirror round to afford her a better view of her favourite landscape, her face. She smeared the lipstick on, thickly, but artistically.

"There," she crowed, with a satisfied beam to the mirror. "Ready to greet the world."

"I said, is she coming on this picnic or not?" her husband repeated, with rising irritation.

"I wish you were more ASSERTIVE, John," complained Mavis Hartwell, leaning heavily across his chest to roll down the window, almost rearranging his ribs in the process. She cocked her head out from the car, and screeched like a parakeet, in her high, falsetto voice, unnerving a nearby sparrow into startled flight, "Pammie ... oh Pammie ... Daddy's waiting, dear."

Five further minutes elapsed, before the fruit of his loins, his daughter Pammie, clumped up the path with the grace of an ambulating bear. Pam Hartwell was 12 years old, a plump, pimply girl struggling into womanhood like a fat maggot, incongruously emerging from a butterfly's chrysalis. The passenger door banged sullenly, as the child condescended to join them.

They had barely left the driveway, before Mavis breathed on the ashes of last night's row, continuing it, as the road rose like an escalator from town, to suburbs, to country.

"You were very rude to the Pinkerton-Smythes, last night." "I was nothing of the kind." "You were so. Harry is very sensitive about his accent. You deliberately aped him. It's like being married to a bloody talking chameleon. He thought you were sending him up." "Harry's a loud-mouthed bore, and his son's a sadistic beast." "There you go again, labelling people. Labels stick, you know. Harry's son's just a very ... a very ... forceful personality." "The cat noticed that, Mavis, when he almost twisted its ears off."

As the road thinned down, past forks of lanes which traversed the ground like the matted roots of a giant potato plant, they passed a solitary Friesian heifer, with large, mournful eyes, munching soulfully on a tuft of clover. It looked remarkably like Mrs Pinkerton-Smythe, John Hartwell reflected.

"What's that, Mavis?" he asked, in passing.

"A bloody cow of course, whatever next!" fumed Mavis. John smiled. He was glad they agreed on something. He glanced in his driving mirror, aware that Pammie was unusually quiet. He winced. The child was excavating the cavity of her left nostril with the rapt perseverance of a gold-digger. Of all the millions of sperm seeds which had in the course of time, swum between him and Mavis, why on earth had that particular one taken root? Had he fished her from a net in the ocean, he would assuredly have flung her back. Nature was most unfair. He hummed a merry tune, as he visualised the unfortunate Pammie, being hoisted from the cradle of the deep, and himself pouring her back again, with a resounding splash, like a grotesque dolphin.

"You're very jocose, suddenly," Mavis said, suspiciously.

"Being with you, dear. And it's a lovely day, of course," he added hurriedly, in case she noticed the light sarcasm. As they turned the next corner, they were confronted by a picturesque ruined mill, straight out of a Constable picture frame, complete with mill pond, at the edge of a lush meadow, which gave way to undulating ground, rising to a fir-clad, heathery mountain.

"Here'll do. As good a place as any," his wife announced, in her Duke of Wellington tone. Her husband braked, and parked the car, like an obedient poodle.

Mavis and Pammie proceeded to clamber out, littering the area with all the necessary paraphernalia for 'a nice day out' ... radio, collapsible chairs in white plastic, flasks of coffee, mounds of rolls, and batches of cheese biscuits, perspiring heavily in the sun. John observed the pair of them dismally, from the relative safety of his newspaper. Mavis hadn't a bad bottom, he reflected, for her age. Mavis, like the famed battery, was ever-ready, in all things conjugal. It was her only plus point, in John's eyes. Had they been married in the Middle Eastern way, she would have been almost tolerable, reduced to concubine status. It would be nice, he mused, to keep her in a harem, like a dessert on a tray, to have for afters. But not for a full course meal ... Living with Mavis was like being trapped within the pages of 'The Woman's Weekly' ...

Pammie, meanwhile, had plumped her solid haunches down on a seat, and was already devouring the first instalment of delicacies like a ravening wolf. John Hartwell sighed. Why couldn't children be disposable, or exchangeable, like an ill-fitting suit? What was wrong with labels? You read the label on a tin of peas, on a supermarket shelf, before you ever took it home, otherwise you could be eating ANYTHING! The Woman's Weekly wouldn't know the answer to that one, now would it, he thought, triumphantly!

Mavis patted a neatly erected plastic seat beside her, and beckoned him over with an amiable smile. Mavis was invariably amiable, when she had succeeded in twisting the day round, like a very determined weathercock, to her own will. Suddenly, John felt much like a precarious balloon, which has just been cornered by an amorous hedgehog.

"The egg sandwiches are a real treat," remarked Mavis, through a mouthful of yolk and albumen. "You must try one, you honestly must."

"I think I'll have a walk, first," her husband replied, "maybe find a bit of white heather, for the garden ..."

Mavis shrugged. "Please yourself. Pammie and me'll soak up the sun, here. No need to rush back on OUR account. You'll miss that lovely programme on the radio, though, that nice disc-jockey, Terry what's-his-name ..."

Before Terry-what's-his-name could further erode John Hartwell's good humour, he had already skirted the car, and had reached the far side of the mill pond. Out of sight, and earshot, of his family, he paused, gazing deeply into the pond, a still, calm mirror of static contentment. With the perfection of a Vermeer, the pond depicted the images of sky, cloud and tree, in immaculate outline and form. It amused him to see himself superimposed on this watery masterpiece, with its Van Gogh firey sun, and vast Hobbema skies. Eagerly now, he turned away, walking with firm, hungry strides, determined not to waste a moment of the day, till he entered the wide, green meadow. Sinking down to the ground, his heartbeat was one with the grass.

How timeless it was! How utterly, unspeakably beautiful, how peacefully untroubled! Above, and beside, and around him, gradually, gradually, the tiny sounds of high summer arose in an innocent, mellow ecstasy, the muffled chirp of the cricket, the laden humming of the scent-seeking bee, the cry of curlew and lapwing, ringing crystal clear in tall oceans of sky, like a call to Matins. And rustling, rustling, rustling, a green stream lapping, went the grass, as he buried his nose and hands and senses into the tastes and touch of its rippling country! For the first time that day, he ceased to be conscious of his own physical boundaries, that perimeter of self that he guarded so jealously when with people. The container of flesh that holds the self, separate, seemed to be spilling like a cup, but happily so. It seemed to John that the rustling grass and the red swish of his blood were one, that his heartbeat, pressing warmly into the earth, had slowed almost to a standstill. Almost had gone underground. He wanted this moment to go on and on, this non-being, this all-being, this re-entry of Eden, of physical abandonment.

His body, however, began to rebel, stiffen, and demand a change of position. Reluctantly, he stood up, shook himself, and walked on through the meadow, up into the spare, sharp mountain air, with its banks of close-cropped heath, its first year's growth, after last year's burning. He enjoyed eating up the miles with an easy stride. He enjoyed the resilient way that the heather leapt back from his tread, unharmed by his passing. And then, he reached a small fir wood, just beneath the summit.

Here, he unconsciously held himself very erect, very aware of his manhood. The natural nobility of fir was highly infectious, it stood to attention, precise and orderly, very military, he thought, in demeanour. He began a slow march through its territory, its twilit, no-man's zone. It was almost a relief to break from its dim, golden light into the last stretch of road leading to the summit, stoney, and windswept, and bare.

He was discomfited to find another climber had beaten him to it. He cursed under his breath. He had hoped to be alone, at the top. The man's presence was an intrusion, a disappointment, somehow a spoiling. His steps slowed, as he approached the cairn of stones, with the climber perched on its peak, like a resident eagle.

"Beautiful day, isn't it!" the climber announced. Instantly, all John's feelers retreated from the mountain, and centred on the speaker addressing him. Instinctively, he felt, with the force of a seen radar chart, the pattern of the stranger's character. Bluff, hearty, middle-class. Right. Right. Like a true navigator, John negotiated the reefs of conversation perfectly, so perfectly in fact that the two were soon deep in chatter, like a pair of stockbrokers who had known each other for years, relaxing over a gin in their local pub.

"What a pleasant sort of a chap," thought the climber, as John waved him a cheerful goodbye, beginning the long descent to the mill, with its still, flat pond. But the meeting had ruined John's day, in a queer way, something had gone out of it, like the sun obscured by a cloud. The fir wood no longer seemed noble and manly. Now, on the downward journey, it tore and scratched at his face, as if in a strange, unaccountable sense, he had somehow betrayed it.

The meadow rustled and rustled as before. But now it seemed that its one soft tongue were many, and all of them whispering in accusation, as he trampled down its weak, green stems. His family, his car, were within easy walking distance now. He would be almost glad to see them. Even Pammie, with her sullen, heavy jowls, would be preferable to the growing unease, mushrooming inside him, like a glass-walled chalice, dissolving, losing its contours, losing its bearings, losing its ... He stopped, his throat tightening, in a gasp of dismay. He had reached the mill pond.

Looking into it, he could see the sky, the clouds, and the trees. But of John Hartwell himself, not a single trace was visible.

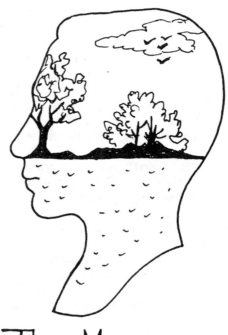

The Mirror

ROYAL SHORTBREAD

The day duty sister in Casualty flicked through the file of last night's admissions. It had been a quiet night. Two crash victims kept in for observation, three burn injuries, four straightforward fractures, Jeannie McFaddyn taken in for small attention to cuts and bruises during a drunken harbour affray, and the boy waiting to be discharged in the end cubicle.

The sister shook her head, and grinned, as she thumbed through Jeannie's notes. Jeannie was incorrigible ... a regular ... a vagrant. Really, she should have been sent home hours ago, except that Jeannie had no home to be sent to. She slept rough, the old reprobate, and last night had been exceptionally cold. Jeannie, though, was always grateful for any kindness or care she got, despite her unsavoury appearance and lifestyle. Meeting Jeannie for the first time was like biting into a walnut, and tasting honey ... she made you feel appreciated.

When she leafed through the boy's notes, however, the sister frowned. It was very hard to be the Good Samaritan with cases like him. In the course of a year, she'd dealt with hundreds of the same ... foul-mouthed, arrogant louts, who didn't deserve the services of dedicated nursing. Drunk, difficult, dangerous delinquents, that's what they were.

He'd seemed such a fine boy too, when she'd peeped into his room, when coming on duty. He'd still been asleep, only newly identified, a youth with sleek, fair hair, clean limbed, peacefully resting, a boy just nudging manhood, quite angelic with dark eyelashes, and a curving, delicate mouth that was almost girlish, until he opened it to speak! The doctor had been shocked by the language that boy used, and it took a great deal to shock HIM.

Fortunately, the boy's mother had been tracked down, to come and collect him, and complete the relevant particulars. Name: John Webster. Age: 14. Parents: Separated. Boy, in mother's custody.

The ward sister removed the plastic bracelet from John's arm, and handed it to his mother, briskly.

"He won't require this now. He's lucky he didn't die. He deserved to, drinking that amount at his age."

Annie Webster could feel the shadow of the sister's disapproval, covering both of them, Johnny and herself. She took the bracelet, glancing at the details. 'Unknown male' they read. 'A&E Ward. 4/3/85. 9.30pm.' So THAT was when he'd been admitted to hospital! She had thought him sitting at the pictures, then, watching the new American movie all the teenagers were raving about. Annie had known he was too young to watch an X certificate film, only 14, but a big boy for his age, and so determined. Besides, it wore her down, arguing with him. It was hard enough coping with three younger kids, without keeping Johnny in order. You'd have thought he'd have been a bit of help to her, by his age, a big boy like him. All that worry, the police coming and going, the neighbours watching them. She knew what they thought. A broken home. "Where was he ..."

"Found?" asked the sister, anticipating the question.

"Dead drunk, in a back alley. The rest ran off."

John smiled, cheekily, at the sister. He thinks it's all a game, thought Annie. A stupid kid's game, like pinching sweets from the corner shop. Her son thrust his jaw out, assuming a hard air of bravado.

"Fucking pigs'll be round again," he observed, as if announcing a small win on the pools, eight score draws in the delinquency stakes.

"AND the social worker," his mother added. "She'll have something to say about all this."

"If there's nothing else," interrupted the sister dryly, "Could you please take him home? We need the beds, for genuine illness."

Nothing else? Nothing ELSE? What had the sister been expecting, thought Annie. A full scale blood bath? A verbal assault? A tide of hysterical recriminations? Well, sorry to disappoint her, but she, Annie Webster, didn't hold with scenes, with washing your dirty linen in public. Anyway, she couldn't quite take it all in, almost as through it was happening to someone else. She half expected someone to tap her on the shoulder ... "Sorry, lady, but could you step aside? We're making a TV documentary on teenage drinking problems. You're blocking camera four ..."

The kids were at school, when the social worker called. She was a very good social worker, Annie reflected. Not married, of course, no family of her own ... Working with so many problem cases would probably put her off. Some folk didn't give social workers the time of day, called them interfering, worse then the Gestapo, trying to take your kids off you. But not Annie. She wanted to understand, wanted to be told where she'd gone wrong, why Johnny had gone wrong. And it was nice to have someone to talk to, apart from the kids. Not many folk bothered with a single parent, living on her own.

The girl was very young, and very earnest. She always carried a bag bulging with files. Sometimes, Annie offered her coffee. The girl accepted the coffee, but rarely drank it.

"He's hanging around with a bad crowd, Mrs Webster. You should find out what company he keeps, outside the home, be asking him, taking an interest. Maybe even encourage him to take friends home, where you can keep an eye on them. Better than hanging around street corners, up to all sorts of bother. Johnny needs to feel you care enough to pry. Stand up to him, tell him what's what."

Mrs Webster nodded. It was all true, of course. The best way. But did she REALLY want to include his friends inside her tiny circle of life? She'd seen them, scuffing around the waste land, beneath the high rise flats that stank of dog pish, that were a scribble of graffiti, the girls cheap in their flash makeup, wearing their sex on their sleeve, the boys truculent in a group, dressed in the standard uniform of trainers, jeans and flapping shirts.

Sensible people crossed the road and walked quickly past them ... Annie, too. He wasn't her Johnny then, he belonged to the gang, against which the ties of motherhood, of family, were powerless.

"There's no greater pressure on a young boy like Johnny," the educational psychologist told her, "than obeying the code of his peer group."

Besides, Annie kept a nice home, a tidy home. She didn't WANT his friends inside it, upsetting things, swearing, spoiling everything, rotten apples bruising the three younger kids ... She picked up a photograph of Johnny, and sighed. He was such a handsome boy, could have been anything, given the right chance, a different roll of the dice ...

The social worker had said her piece, and rose to leave. Sometimes, she despaired of helping the Webster family. Mrs Webster was so ... ineffectual, so insular, shutting the world out, and Johnny too, in her way. A boy like that needed a firm hand, needed to feel ... wanted, warts and all.

"I'll let myself out," she said. The latch shut, with a click. It was the click that reminded Annie of the tin of Royal shortbread. A beautiful tin, it was. Her father had kept it in his shed. A red and green tin, with a portrait of Bonnie Prince Charlie on the lid. Father kept lots of things in the Royal shortbread tin, shiny brass buttons, nails, screws, staples, hinges and hooks. It sat on a shelf, between the pea-green watering can and the chipped wooden carpentry box, splendid, in its Stewart tartan. Father had been hanging a picture for Annie one day in her bedroom, she recalled. He knew she liked pretty things.

"Be a love and fetch me a hook, from the shortbread tin," he told her. And Annie ran out to the shed, and prised off the lid with fumbling, excited fingers. It came off suddenly, with a click. She'd dipped her hand in, fishing for the picture hook ... then, her fist had recoiled, as she gave a small scream. An earwig had crawled out of the tin, and trickled darkly over his skin, a hideous brown earwig, hard, fork-tailed, demonic, repulsive. She'd slammed the lid down hurriedly, stomach fluttering with fright. It didn't do to poke around in tins, even pretty ones. Best kept shut, best left alone, with their unpredictable contents sealed within. Tins, and people, both ...

THE JAM JAR

Mother called it sadistic, catching bumble bees in a jam jar. After all, they led a harmless existence; fat, fur-coated beings, bumbling from one flower to the next with their parcels of pollen tucked to their sides, like wealthy, jobless wives of city financiers, filling their days with shopping. They weren't bad tempered or excitable, did not waspishly dive-bomb your ears like territorial bees, those garden workaholics who think of life as a gigantic honey factory and everything else as unnecessary and useless.

Wasps were perfect vipers when caught, or cornered. They'd ricochet off the sides of the jam jars like Kamikazi pilots, their yellow eyes two pinpricks of stinging malice, like showers of venomous hailstones. Enjoying their outrage, I would shake their indignation to fury, and when I tired of that diversion, drop the jar and run like Hell in the other direction, while the incensed hordes poured out, doubtless to impale the first passer-by with stinging wrath. Bees were less amiable than bumbles, but more so than wasps. When trapped, they were quite disorientated, were not obsessively vengeful, and when unleashed, generally zig-zagged off like confused, drunken seamen staggering round an unfamiliar port. By far the easiest to catch was a nice, plump, dozy bumble. It would splutter with pompous surprise at first, and veer erratically, like a weighty helicopter, but soon accepted captivity as a fait accompli and sank stoically down into a tamed lethargy, the perfect prisoner.

The summer of 1964 was a bees' idyll. Hot and unusually sultry, the sun made a glorious siesta out of every noon for the people of Aberdeen; you wanted to waddle barefoot on the warm pavements, behind the pigeons, where the tar hissed in molten patches, or go where the fancy took you, like inquisitive seagulls - but nothing too strenuous, not in that sweltering heat. The searchlight of sunbeams glanced off granite mica, blinding you with unaccustomed brilliance. The gardens were buzzful of industry, the worker bees toppling over themselves to harvest their pollen, petals fingered by busy antennae, the sweetest roses, the nectar of daisy and buttercup, gleaned in a hum of industry.

I was sixteen, that awkward, argumentative age, when I thought I knew everything, but everything, and everyone over the age of thirty was an old fogey. Bee catching had long since ceased to intrigue; most girls of my age were stalking boys, though stalking bees was a great deal simpler, and much less troublesome. The jam jar contained your bee only as long as the game amused you. When it ceased to be interesting, the bee and yourself parted company with no hard feelings.

It was a strange contrast, to see the gardens in my street to full of insect life, and the pavements so bare of the human variety. My street was quite old fashioned, like a page from a Dickens novel; cobbles and graceful gas light incongruously stuck into a twentieth-century album. Normally, with its gulls, its granite, its gas lamps, and its elegant Episcopalian church, it wasn't a street to shun. That summer, however, it was as if an invisible drawbridge had been raised, keeping trade and commerce along the causeway to a minimum. And all because of a bug, so tiny it was invisible to the naked eye, a scrap of minuscule contagion, called typhoid.

I wish, in the interests of historical accuracy, I could describe the taste of this unwelcome visitor to Aberdeen, which lost the city a fortune in cancelled holidays and panic departures. Unfortunately, I cannot. It tasted of soft cardboard, as masticated corned beef generally tastes, when pulped together with tired, green lettuce. An exotic complaint such as typhoid should have samba'd into Aberdeen on a calypso-colourful banana boat, or rumba'd along the Aberdonian airways on a whiff of Bacardi. Instead, it slunk in, skulking inside a ship-load of tinned corned beef, prepacked plague, courtesy of our South American cousins.

As the city simmered in subtropical heat, banner headlines, local and national, proclaimed EPIDEMIC in alarmist print. I assumed that foreign diseases would hunt down, first of all, foreigners, then, presumably, the underfed and disadvantaged, neither of which category I belonged to. It came as some surprise, therefore, to awake one morning to a dawn chorus of the Peoples' Republic of Beeland, in full cry, pelting their tiny bodies (or so it seemed) against my window pane. The weather, too, had gone haywire, veering from volcanically broiling to chilling as a corpse's ceilidh. My mother, noticing nothing amiss in either the weather of the behaviour of the indigenous insect population, immediately phoned the doctor. He came at once, a brisk, no-nonsense, dapper little man, who'd been a Jap prisoner of war. No stranger to the wiles of typhoid, he'd mixed medicine in coconuts in the tropical camp to counteract its effects. As he imparted this information, it seemed as though his stethoscope was sprouting antennae, a buzzing in my head mushroomed to atomic proportions... "Delirious" the doctor remarked. "Send for an ambulance."

A herring gull flapped me a welcome at the hospital, in medical orderly white, then, unkindly, jabbed a needle into my bum, and knocked me unconscious for several hours. When I came round, the buzzing in my head continued, unabated. I shook my left ear, hard, over the pillow, but nothing, not even a mosquito, fell out. Everywhere I looked in the ward, in accordance with the isolation, quarantine regulations of the city's official Fever hospital, there were glass windows, locked. Had I not known better, it uncannily resembled a square, marmalade jam jar. For the first time, I experienced a kind of panic, a fear of incarceration that was claustrophobic in its intensity, an awful, confined, crushing sense of restraint. I wanted out, and I wanted out straight away.

Other patients, well enough to walk, crawled around each other like drugged locusts, eyes swollen with sleepless nights, strangers forced together by disease. At nights, the moan and sob of the sick, delirious women rose and fell in the ward like an eery wind in a dark tunnel, the tight-locked windows yielding neither the sun nor rain.

There was a girl of my own age in the ward, small-waisted, black-haired, with huge, protruding eyes and thin, emaciated arms, who lay, it seemed, in a bed of flowers (so profuse were the floral tributes sent by her loved one). She remarked on my flowerlessness, asking if I, too, had a boyfriend. I lied, and professed to have dozens, explaining away their non-arrival by the fact that they were all seamen (a fair lie, for a seaport city) saying that one was half-way up the Congo on a tramp steamer, and the other was first mate of a whaler. For one ghastly moment, it occurred to me that whalers went out with Moby Dick ... but the girl (though wanly pretty) was not overly bright, and accepted the lie quite readily. As the weeks passed, the lid of the hospital jam jar slid back a little, allowing the brief privilege of a convalescent walk, the nurses leading the patients shakily out on to the felt strip of grass which separated our ward from the mortuary, uncomfortably close. We resembled a convoy of daddylonglegs, easily bowled over by gusts of wind, tottering around like human scarecrows in our make-shift bedclothes. Because of the pressure on beds, we had been allocated the male diabetic ward, and took the air in men's pyjamas, held together with hospital safety pins.

Directly against hospital regulations, husbands and wives from different wards occasionally met up during exercise time. Weakened by illness, these reunions could be most affecting to witness, so the staff turned a blind eye to them, as long as the favour wasn't abused, and all were present when the doctors made their rounds. Having no husband, child, mother, father or elderly grandparent similarly incarcerated in the hospital compound, I nevertheless developed a wander-lust too; a desire for an area of peopleless quiet, seclusion; of aloneness and just-me-ness, filling a green space.

There, behind a kitchen shed, I found it, a goodish walk from the ward, facing the sea, and squatted down for five minutes luxurious solitude. The briny, bracing North Sea air was pure nectar after the stuffy disinfected stench of the ward. I closed my eyes in ecstasy, to savour it. I closed my eyes in ecstasy, and fell asleep ...

When I awoke, the sky was cloudy, the wind was cold and the sun had disconcertingly removed itself. I had a sinking feeling in the pit of my stomach that I was set for trouble, like a skipper, anticipating a squall. I started to walk, fast, then faster, then run.

They were waiting for me, lined up outside the mortuary, a swarm of angry, swearing, waspish women, shaking their fists in rage. I'd missed the doctors' rounds. For a time, there was talk of the special exercise privileges being suspended. I was 'sent to Coventry', and I daresay I deserved it. I think it was then that the full realisation of where I was finally hit me. I couldn't. I COULDN'T get out. THERE WAS ABSOLUTELY NO ESCAPE. The ward was a crucible of spite, where rivalry, gossip and pettiness simmered and spilled over, dangerously high in temperature. So I sank to the bottom of the jar, fascinated and tormented by the glass, an institutionalised bumble, lost and broken, and very, very alone.

I swore then that if I ever got out of that place, no one would turn a lock on me again.

"Oh, they won't keep it up," a doctor assured me. "Being ill, and confined, imposes impossible strains on human beings. It's their illness that makes them vindictive. It'll pass, you'll see."

He was right, of course. Two days after, a woman left the toilet, and omitted to wash her hands - the greatest sin you could commit in a fever ward. Instantly, communal attention switched from me, selecting a new victim to ostracise. In the old days, quite close to the fever hospital, the citizens of the town burned witches alive at the stake, the nonconformists, the eccentric, those who where a little odd, the outsiders who didn't fit in ... I knew, then, that human nature never changes, that always, always, there will be victims and persecutors.

The longer I stayed in the ward, the less I resisted captivity. I slept, I ate, I slept, and every waking minute was planned for me. Soon, it was the world beyond the glass that was unreal. It took a long, long time to build up the strength to fly ...

Going home at last, I made straight for the garden, and lay down on the grass by the flowers, to catch the tail of departing summer. A neighbour's child wandered in. From behind his back, he suddenly produced a jam jar; walking up to a blossoming lupin, he snatched a sleepy bumble from its perch. I jumped up immediately, smacking the jar from his hand. "Spoilsport!" he cried. The bumble, oblivious of its narrow escape, buzzed lazily up to a cloud. Nothing should be kept in a jar, not even a bumble bee; nothing, nothing, and no one!

THE CONCERT

The village hall was deserted, ghostly lines of seats, eery in steel and canvas rows, the floor yielding up the soft, antiseptic smell of polish. A side door was open, letting the wet, grey evening blow intrusive gusts of chill air into the fug of electric heat, crackling from half a dozen wall heaters. A large, chipped piano, rammed so far off stage it seemed in imminent danger of dropping off the edge, peeped coyly from a curtain. Helen McMasters, her nerves tinder-dry in anticipation of her forthcoming performance, walked self-consciously past the empty seats, her high-heeled shoes slipping treacherously on the sheer floorboards.

It was, of course, a great honour to be asked to sing in public - an amateur, billed with semi-professionals. The audience would probably only amount to around fifty (always assuming the concert did not coincide with some brink-defying episode of American soap-opera ... The sight of some voluptuous houri loosening her thighs before the blandishments of a high-powered, tight-packaged business tycoon, on the small but sizzling screen, would be more-than-fatal competition for a village concert to contend with.) Luckily, it was a replay of the Test Match, and the village sport and over-riding passion was curling.

Where grander stages might have offered footlights, there were small, sturdy pot plants, separated with nit-picking accuracy, two feet apart, like a miniature string of oases stretched across an arid pinewood desert. The curtains were pulled back manually, tied up as tidy as Friar Tuck, in a girdle of tassels.

Helen stepped on stage gingerly, though no-one was there, trying to imagine the hall, packed to capacity. She had spared no effort to appear professional - had stewed in unaccustomed luxury, under a hairdryer, at ridiculous expense, in an attempt to crimp her normally stringy hair into a halo of Afro-ethnic curls. The hairdresser, noting how awkward she had been over slight matters - the choosing of a magazine, fidgeting with her coat - had smiled patronisingly, anticipating a huge tip.

"Going somewhere special, dear?" she cooed (always pandering to the customer's self-esteem ... her stock-in-trade well-grooved phrases, jaded, synthetic pleasantries...) Inwardly, she could not have given a damn, weary of pummelling heads, of preening middle-aged frumpery, three perms and a blue rinse away from a night out herself.

Helen, unused to being the focus of attention, flicked over the glossy adverts in a fashion magazine, a tight ball of excitement, unwinding. "Nothing in particular. A concert ... I sing, you know."

The hairdresser looked at her with renewed interest. She looked too old to be part of a pop group ... though you could never be sure. But the hands were a giveaway - smothered in rings, wrinkled in detergent.

"Big audience, dear?"

Helen was miles away, mentally humming through the first strains of her solo. She must have rehearsed it a hundred times, over the washing machine.

"Where the bee sucks, there suck I ..."

The bee stuck, in mid octave, like a strangled bagpipe.

"Quite a reasonable turn-out expected," she said, suddenly wishing the hairdresser would drop the subject.

"Professional, are you?" persisted the girl, doggedly.

"Semi-professional." The answer was curt.

Enthusiastic amateur, the hairdresser silently concluded, her interest waning. Correct grooming was terribly important, for the total effect to be totally effective. Helen was very sensitive about her image, the more so since the first signs of middle age ... Frosty outriders of cracks around the eyes had begun to manifest themselves. She went from the hairdresser's salon into the chic scents of the chemist's shop, fingering a £10 note from the housekeeping, guilty, agonising over each phial of cosmetics. Her purchases were hideously expensive, had made a wreckage of her week's allowance. She would bake, make do, use left overs for a fortnight, to cover her tracks.

Mascara was so difficult to apply. It took her days of practice to arrive at just the correct eye-shadow. Her skin, sallow from staying indoors, looked years younger with small smudges of rouge. She ran a tongue over her teeth, yellowed with nicotine. Nobody would notice that, in the poor lighting - wishing she'd invested in smoker's toothpaste. Then, from a white paper bag, she removed her ultimate buy, the pièce de résistance, a slim gold anklet. Only sophisticates wore slim gold anklets. Slim gold anklets were for in people, people with style.

She had seen a rake-thin model in a holiday brochure wearing one a gold glimmer of eroticism, faintly exotic, snaking between tan and sand. She had pointed the anklet out to her neighbour. The neighbour, a practical woman, of an economical turn of mind and phrase, had ridiculed the thing. "Only tarts would wear a gee-gaw like that." Than, driving the knife home - "I didn't know you and Dave were into bondage, Helen ... it looks like a chain." Dave and Helen. Helen though resentfully, weren't 'into' anything, let alone bondage. Whatever had originally drawn them together had vanished like Scotch mist, with the birth of the children. Debut, infant McMasters, to fanfare of Oos. Exit passion, stage left, running.

He talked to his tomatoes - he mooned over football fixtures, he stalked with loving care a ridiculously white ball, wooing it into a ridiculously small hole. Even at their most intimate, she could see his mind glossing over the mating ritual, alive with decisions. Which putter would he play on the 16th green - should he plant his tomatoes in grow-bags or pots - how would he tackle the visiting striker in next week's match? Set beside problems of this magnitude, mere coupling was simply a chore, a stretching of extremities, to be gone through as quickly as possible. Slam, bam, thank you mam.

For a moment, she indulged in the unworthy fantasy of a monstrous greenhouse plant winding its murderous tendrils around his neck. Her Dave, worker No 34, mechanic par excellence. Slipping into low gear, finally de-clutching ever-so-slightly-dead, his cheeks red as two over-ripe tomatoes. The 19th Hole. She had shown him the gold anklet at breakfast time. He had grunted, not listening.

"Match tonight, Helen. Your mother can watch the children. Forgot about the concert thing. And for God's sake, if it's toad in the hole for teatime, remember to slice the carrots longwise. You know I hate them diced."

That was it, then, she thought dismally, scraping the congealed remains of his fried eggs into the ashcan. The full extent of marital communication, boiled down to sliced carrots, toad in the hole. Toad in the bloody hole. He would get tinned stew and like it. 'Tonite' as they said in third-rate Garbo movies, waz the night.

Standing on stage, expensively coiffeured with all the insecurity of a chameleon shedding its skin, she was having second thoughts. The squat piano stool was conveniently handy. She sat down on it, awkward in black chiffon, the gold anklet threatening to snag her tights, her fingers picking out a scale on the yellow ivories. The piano was just in tune having been hammered into docility by platoons of Brownies, cub-gatherings, and pensioners' playtimes. Her mind unreeled, a coil of fast-spinning tape. Six years old ... the city Music Festival ... navy blue knickers and sweating hands. A hideous lady pianist, in a flowery hat, gold fillings and pince nez.

"Whenever you're ready, child."

The tinkle of the introduction, and the weird, strangulated, alien sound coming from her throat, of its own volition, a violin string so finely tuned that it had snapped, two tones off key. The awful embarrassment, coughing of frogs from larynx, beginning again. Everyone sympathetic, knickers wet. Day ruined.

Helen was a mature woman now - could bottle up her nerves, channel them into a true virtuoso performance. She could see the audience rise to its feet, warming to her, hear the swell of applause, the ripe sure apple of success. Word would spread and more engagements would flood in. The compere had already singled her out from the church choir -

"We need one more act - you have such a lovely singing voice - I'm sure you could manage ..."

Her hands drifted easily over the keys, in a surge of confidence. The doorkeeper pulled on a main switch, bringing in the cold light of reality.

"Very early, aren't you, Mrs McMasters? The other acts are only just arriving. Pity about the rain."

She had thought she was alone in the hall; now, she retreated like a frightened snail, back into her shell.

"I hadn't realised what time it was ... faulty watch ..." Fumbled her way to the dressing room.

It wasn't exactly show-biz standard, the dressing room. Brooms and shovels leaned lackadaisically amongst the coat hangers, and the floor stank of disinfectant. She was not left long to mope, however. The clatter and jingle of equipment, the rasp of heavy suitcases, betokened the arrival of the band. Pros to a man, teeth shining white as any dentist's advert, gold lamé jackets, and a hunch-backed accordionist in black satin trousers, puffing away on a cheroot.

"Not late, are we?" he asked, commandeering the one and only seat.

"Not at all," rejoined Helen, brightening up. The man had spoken to her as an equal, not an appendage - a fellow artiste. He looked every inch a musician ... Dave, wilted into the grow-bags, growing smaller by the minute. One by one, the rest of the group came in, cheerful, free and easy, conversational quips sparking from one to the other.

"I've played in some flea pits in my time, but this beats all."

"Pays good though. They say the bar over the road never shuts ..."

"You and your damned drink."

"Better than chasing skirts. Did I ever tell you the one about big Dan MacAndrews? Bass-fiddle with The Bandits. A right bandit, him. Gets home 5am, tight as a tick, zipping up his fly, just kissed goodbye to his fancy woman, climbs into bed beside the trouble and strife, and all hell breaks loose!"

A lady drummer showed sudden interest.

"Get away, I remember Dan MacAndrews. What happened next?"

"Cool as you like, jumps out again. 'That's all the thanks I get,' he says, 'for rising early to make your breakfast, woman!'"

Helen began to relax. Nobody had once mentioned golf, tomatoes or football. They were her kind of people.

The accordionist was not to be outdone.

"Och, that's peanuts to the night we played Kinmuck." He lit up another cheroot, flicking the ash wilfully onto the floor, avoiding the ashtray. Here we are, stewed to the eyeballs, right? Driving over the hills - a real pea-souper of a mist, singing Annie Laurie, when wee Joe Anderson - played trumpet with Jock McPhail, you know the one - suddenly wants to stop the van, to answer the call of nature. So we stop. And then, can you not just picture it - he makes a bee-line for this sheep, jumps on top of it, and ..." The lady drummer gave him a hard look.

"Less of that dirt, Larry. Last time you told the story, it was a goat he attacked."

"You a vocalist, then?" said the accordionist, chummily, to Helen. Helen for once had left modesty at home. These were blood of her blood, kin of her kin. Before she knew it, the contents of the grow-bag were disseminated around the dressing room, to loud guffaws of delight. "Tomatoes are for prunes," said the lady drummer. "Fancy speaking to a tomato!"

"No queerer than courting a sheep," said the accordionist.

"Takes all kinds ..."

They all exploded into laughter again.

The doorkeeper broke up the hysteria with Calvinistic abruptness. He had a long, lugubrious face, and all the humour of an ill-applied enema. Every word was a reproof. A real wet blanket. Really, he far preferred dealing with Brownies. He couldn't think what Mrs McMasters saw in this riff-raff, and her Dave in the football team too.

"The concert is about to commence," he said stiffly, po-faced as an Elizabethan warming pan.

"If you gentlemen would step on stage, the audience are waiting ..." Helen stood in the wings, simmering with anticipation. With practised verse and cohesion, the band shimmied through reels, glissaded over waltzes, and rampaged along jive. The hall was packed to capacity - ninety souls in all, rural faces shining in cheerful sublimity, washed, pressed, and having paid for fun, they were determined to get their money's worth.

Beside her, a little Highland dancer fidgeted in her pumps. "Not nervous, are you, Morag?" asked Helen, patronisingly. "Not me, Mrs McMasters. But the stage is slippy - not like the dance boards at the Games. I'm only worried I'll kick the swords. Not nervous, though."

Always had been a bold little thing, that Morag, thought Helen, rattled. Damned little upstart. She half-hoped Morag would trip over the swords, and plummet in a swirl of tartan into the pit. It was an uncharitable thought, brought on by the compere's sudden change of programme. Helen was to appear last ... the only truly amateur performer there.

There followed a comic recitation. A large, big-boned gentleman in ill-fitting tweeds, smelling vaguely of sheep dip, in three inch soled brogues marched on stage, and in an expansive monotone, related various witty odes of the farmyard variety, driving the audience into paroxysms of rapture. He shuffled off, to thunderous applause, and two encores.

There were two acts to go ... a one-eyed ventriloquist, carrying a plastic dummy called George, and a juggler from Dunoon.

The one-eyed ventriloquist seemed to experience great difficulty in co-ordinating the opening and shutting of George's mouth - the mouth moved consistently at the wrong time ... He was booed off stage.

"Peasants," he muttered darkly, in passing. "Pearls before swine. Don't appreciate true talent. I wish you joy of them."

Helen winced. What if they booed her? Surely not, not with Dave on the committee of the golf club ...

Then, it was the juggler's turn.

"By popular request," boomed out the resonant voice of the compere, "All the way from Dunoon, a big hand PLEASE for Señor Vicardi!"

Señor Vicardi, a part-time fish-and-chip shop worker, more generally known as wee Hugh, strode onto the boards. Contrary to all expectations, he brought the house down.

He juggled hats and balls with alarming ease. He contorted his face, and his posterior into excruciating postures. He twirled his little waxed mustachios and wriggled his red silk trousers like a dervish. In short, he was unstoppable.

Helen stood, oblivious to these delights, holding desperately onto her stand of song.

"Where the bee sucks, there suck I ..."

The compere, splendid in tartan jacket, approached her, in obvious embarrassment, fumbling for words.

"Er ... Mrs McMasters," he began lamely. "Might I have a word?"

Helen sprang alive, quivering with excitement. Her turn now.

"I don't quite know how to say it ... Señor Vicardi seems to have overrun his time ... the bus is waiting to take away the OAPs from Midbeaslie Eventide Home ... Maybe next month, you could sing to the Rural Ladies ..."

Helen McMasters wasn't listening. She appeared to have lost the power of speech. It was as though a giant tomato tendril was inexorably twining its arm, mercilessly around her throat.

THE TWILIGHT ZONE

HARRY? Harry who? Listen, they shoot through here like beans on a production line; we're the step before the cannery. We're not some tuppence-farthing-Oxfam hideaway for ailing OAPs. The geriatric — oops — senior citizen market's BIG BUSINESS. We're the twilight zone, at the bottom end of the generation game. We provide a genuine service to the community, tidying away the has-beens, wiping their bums and noses and keeping them off the streets. Hey, without us in the private nursing home sector creaming off the surplus granny population, the NHS would collapse. People aren't dying the way they used to ... not so fast, anyway. And let's face it, if you had to choose between the free n' easy lifestyle, and one with an elderly P. in the cubbyhole, what would YOU pick? They tend to be inconvenient, once they've served their purpose; the most disposable section of family life. That's where we come in, the professional carers. We've an excellent range of toilet aids in our establishment ... no waiting for longer than ten minutes to use the loo. That's all they do, you know, piss, eat, and sleep. Oh, and once a year we take them to see a Pantomime at Xmas, whether they like it or not. No room for shrinking violets HERE, it's all chums together. What do you MEAN the rooms are overcrowded? This isn't the QE2. We're a business, you understand. We aim to cut costs, generate profits to build MORE Eventide homes. Our clients don't complain. Half of them are do-la-lily anyway. The State? Well, it's unlikely to intervene, with the NHS on crutches, so to speak. Families? They're only too pleased to be shot of the old codgers. Don't let the hearts, flowers and chocolates on Sundays kid you, kiddo, that's the guilt and relief scene. Harry? We've had hundreds of Harrys through here. The goods are highly perishable, if you catch my drift. If you don't mind me saying so, you're no spring chicken yourself. Can I interest you in an application form? It's never too soon to plan ahead. You don't want to end up a burden to your children, now do you!

....

Mr Harold Buchanan was admitted to Ward 16 last week, badly dehydrated and unconscious. The home seemed unable to furnish us with background medical data. I gather they are incredibly busy. Intensive tests revealed an accumulation of fluid, on the brain. I gather he fell and hurt himself, while standing in a queue for a toilet. Surgery was performed, but the prognosis is very poor. As I explained to the son, the medical staff do not make ethical decisions, regards the continuance or not of life-support systems. Next of kin must accept that responsibility. However, as I intimated to him, he should consider the quality of the patient's remaining life, were we to keep him alive. Should Mr Buchanan recover, he would almost certainly be dependent on nursing care for the remainder of his days. Talking of days, it costs the NHS £80 per day to keep a geriatric patient in a bed. And the pressure on hospital beds is enormous, with so many of the elderly living into advanced old age. Of course, in MY country, few people live so long. Those that do so remain with their families. I hasten to add I am not passing judgement on your Western culture, merely making an observation. Of course, in India, few people have ANY property worth speaking of. Our society, therefore, has different values.

....

It really knocked me sideways when that Paki medic came straight out with it. 'Do you want us to continue active care or not?' he said. I mean my name's not God, for Christ's sake. £250 a week, it costs to keep the old man in that bloody Home. Not that I'm knocking it ... The wife complained, once, about Dad getting broken Rich Tea biscuits for his supper. 'Well, if that's your attitude,' they said, 'You're at liberty to remove him,' they said. And that was an end of it. Would I like to be put to my bed at 7.30 each night, like some snotty-faced toddler? Well, I suppose not, but the staff NEED some time off, and what would the likes of my old man be wanting to stay up late for anyway? He's hardly likely to be cutting a rug down the Rose and Crown at HIS age, now is he? I could do a helluva lot with £250 a week ... the car needs fixing, then there's the mortgage repayments, and the wife's set her heart on a holiday in Majorca this summer. Majorca? She'll be lucky if we get as far as Broughty Ferry. It's his own money, of course, but I was sort of ... not to put too fine a point on it ... well dammit, I was hoping for SOME sort of inheritance. Five more years in that bloody Home, and I'll have to sell the car to pay for his ruddy funeral. Dammit, what's the NHS for? THEY should be footing the nursing bill. He paid his stamps like the next man. I gave that undertaker a piece of my mind, I tell you, when it looked as though Dad might snuff it. HOW much do you charge for a simple, basic funeral? £1,000? Christ, I'm not burying the Queen Mother! And it's a farce, isn't it, paying through the nose for a pine coffin and all the trimmings, just to go up in smoke. "Oh, but it's the done thing," the wife said. "Everybody does it," she said, as if it made it hunky-dory. When I go, she can notify the local street orderlies to come round with a cart ... 'Bring-out-your-Dead' style, like they did in the great plague, and then have me recycled for pet food. Better than clogging up acres of land with cemeteries. Green belt? By the year 3000, there won't BE a Green Belt. It'll be full of stiffs. 'Do you want us to continue active care?' that Paki doctor said. I mean, Christ, I'm only human. Somebody else should have to carry the can for THAT piece of hardware. Why don't I look after the old man myself? Oh I couldn't possibly, not with my commitments. I've got my children's future to consider. My old man's HAD his life, he's past it, and he does tend to smell a bit, you know ...

....

I knowed my granda woodnt die. My granddas tuff as old boots. His name's Harry and he gives me pandrops from his jaket poket all coverd in hairs and bits of fluff and he lets me sit on his knee and tikls me when his roomatiks isnt to bad. Hes got a rinkly face and laffy eyes and niffs like my dog Sammy on a wet day. His hands are all frekly with nobby parts and he calls me his wee soljer. I like my granda becos hes got time for me and tells me things like how to spell EDINBURGH and how to whissl throo my fingers and that stuff. His trowsers are all dangly and when he sings Annie Laurie, a lump flys up an down his throat like a wee ping-pong ball. When he went to hospital my dad bot home my grandas teeth in a sweetie bag and my mum sed how disgusting throw that out but ma da sed the undertaker mite need them ma grandas better now so hes wearing his teeth hisself and I'm glad cos his face falls in without them and I think the undertaker shood buy his own teeth and not need my grandas. My mum ses when people die they go to Jesus, but they go down a hole first til Jesus has room for them. I expekt Jesus has rooms like in a hospital, all nise and clene and everything. Maybe Jesus wood let us visit granda wunce a week like at the Nursing Home to give him pandrops and say HELLO. I think youve got to look affter old peple cos theyre very easy brcken just like toys. And if my granda died nobody else in the famly wood play with me. But I am only littl, so nobody lissens to me. My granda ses nobody lissens to him neither so thats how we get on so well. If my dad took him home, he cood sleep on my teddys sofa and that wood be nis.

THE FROG

When the workmen removed the brass name place, 'Alan Milne and Son', from the door of my father's law firm, and placed in its stead, 'Alan Milne junior', I half expected old Mrs Woods to take her business elsewhere. But I reckoned without her unshakeable faith in the family name. My father, of course, had advised Mrs Woods on legal and financial matters as long as I could remember, and happily for me, she transferred her trust and confidence from father to son, without a quibble.

I think father's death gave the old lady quite a knock. She was ten years older than him, and not in the best of health, a thin, wheezy widow, with the legs of a crane fly, and two of the sharpest, tiniest, most perceptive eyes I've ever seen. A dry, angular woman, who ran her life as tight as an accountant's ledger book, everything weighed and valued, debit and plus, in that balance-column heart and hide of her. So I wasn't a bit surprised to receive a letter one day, in her spare, crisp handwriting, bidding me call at Number 19, Laburnum Lane, the following Thursday, at 3pm prompt, to discuss the state of her shares, in the current market. The signs were fairly obvious. She was getting ready to make her will. Now, Number 19, Laburnum Lane, was a property of considerable potential, as the estate agents would style it; in other words, a draughty, wheezy, broken-down three storey house, in its own grounds, with rising damp in the kitchen, suspect drains, a superabundance of resident woodworm merrily chewing away at the floorboards, and an eccentric wiring supply which could be lethal for anyone not familiar with the idiosyncrasies of a pre-war electric plug. It possessed, however, a charming, secluded garden, of ancient sycamores, and bright rhododendrons, and a large, weedy, reedy pond, where lackadaisical water lilies floated, like lazy green rafts on a black mirror.

At a rough guess, I'd have valued the house, and the grounds, at £90,000, not counting the stocks and shares the old girl had hidden away, like a thrifty squirrel. As far as I knew, she had only two surviving relatives, two brothers, her nephews, Ned and Harry Woods. Harry was ages with me, by all accounts, a bachelor of about forty, who ran a grocer's shop in town. Very like old Mrs Woods, small-town gossip said, the sort who weighed you up and down, like a pound of sugar, and never spilled a drop. His brother, Ned, was two years younger, though like good chicken soup, with the bones taken out, I knew of them both by hearsay only. Father, over the years, had grown to know both men well.

"I've no business liking Ned, really," he said. "Charm is his only asset. He's had such confounded bad luck, poor sod." Indeed, over the years, from crumbs of conversation, I gathered Ned and misfortune were almost on first name terms. Harry and his brother had attended the same school, as boarders, it seemed, in the same School House, and dormitory. Ned had been very popular there, with masters and boys alike, till a valuable silver cup had gone missing, from the headmaster's cupboard. It had turned up, under his bed. Nothing was proved, of course, but that was the first bite out of the apple, if you like, and it certainly soured his educational career.

"It looked very bad, I know," my father said. "But take as you find, I say, and I always thought him honest enough, in my dealings with him. Nothing like Harry, of course, Harry was so ... robust, so practical, paid such attention to detail. Like I said, Ned's only asset was his charm. He wasn't particularly strong, either, very slight build, as I recall. Got a job as a travelling salesman, down Hampstead way, till the next bit of bother ..."

It seemed that 'the next bit of bother' hadn't been long in coming. He'd married a smart girl, a secretary, quite a looker, too. Shortly after the honeymoon, he took her to visit his parents. And what could be more natural than that he would ask his brother out for a drink, friendly-like, to let the girl get better acquainted with her new parents-in-law? But the brothers were dreadfully late in getting back. Harry arrived first. He told his people that Ned had stepped out for a while to clear his head. When he hadn't come back, after ten minutes ... well, he'd hunted the town for him, half the night. And what was worse, some ten minutes later, when Harry again stepped out, with the young wife, what should they find but the car, hidden at the foot of the lane, with Ned inside it, passed out cold, reeking of cheap scent and with lipstick smudged on his face. He brazened it out, of course, said he'd felt a bit queer after the first drink, and only gone out to the car till his head cleared. Flatly denied knowing ANYTHING about any girl, and swore he couldn't remember a thing but wakening up in the lane and wondering how in the Devil's name he'd got there!

"A likely tale!" his missus had told him. And she packed her bags, and left.

After that, Ned Woods came adrift at the seams, hit rock bottom, hit the bottle and hit it hard. It cost him his house, his job, and his health. It cost him everything except his friends. And that was the queer thing, my father remarked. People refused to believe the worst about him, he was such a likeable chap. A victim of circumstance was the current opinion. More to be pitied than punished.

Against all the odds, he'd pulled himself together. Been a long, hard struggle, but by God, he'd done it. Nothing marvellous, a small flat over a bookmaker's shop, and a job as a hack reporter with the local rag, but he'd managed to stay off the drink, and that couldn't have been easy, not in his profession.

"Had to admire him," my father would say. "When he covered the cases in the sheriff court, he always dropped in to the pub, and stood a round of drinks to his sources of information. Never touched one drop himself. Couldn't, of course, one drink would be fatal for someone like him. I doubt if he'd pull the irons out of the fire again second time round. If old Mrs Woods does the decent thing by Ned, she'll give him an equal share of her loot with Harry. He deserves a few aces, that one. Up till now, he's drawn nothing but spades."

But old Mrs Woods was a stickler for credits, not debits, for pluses and minuses and Ned's plus points till now had been woefully few. She'd not will her money away out of sentiment, that one. I expect that was why she invited the nephews to stay at Laburnum Lane for a week, to help her to tidy the garden, and generally keep the house water-tight, the better to assess their worth, in that curious character-scales of hers.

Well, at 2pm, on the Thursday that I was to call upon Mrs Woods, a client phoned unexpectedly to cancel his appointment. I knew Mrs Woods well enough to arrive early. Besides, she'd expressly asked my opinion, some time back, on the relative worth of the house and its garden and contents, and an early arrival would give me a chance to appraise the property thoroughly.

It was a lovely summer's day when I turned into the large, meandering garden. The sycamores, full-leaved and ripe and sticky, rustled like new pound notes. The sun tipped a miser's hoard of gold onto the pond below them, and I stopped to inhale the enriching air of accumulated greenery and affluence. If Number 19, Laburnum Lane, were mine, I'd not change a single stick of it! I could see how the old lady would want to leave it in careful hands. No one should squander beauty like that.

I was just admiring the lily pool, with its stately irises and slithery, snakey duckweeds, when a rasping 'parp parp' from the edge of the water drew my eye to a large, fat frog squatting heavily on a stone, like a sagging bean bag. He was the colour of an old penny, a greenish-brown colour, the colour of a penny that had sealed many bargains, in a small-time way, that had never been tossed in chance. He was absolutely the biggest frog I've ever seen in my life! His long back legs lay coiled beneath him, like two thick ropes, and his curious outsplayed thumbs glued him, motionless, to the stone he sat on. Then my attention was distracted by a dragonfly skimming low on the pool, a vivid blue and gold dragonfly with a silver thread to its wing, that the sun made flash, like a flame. Such a short life the beautiful creature had before him, only a month or so of summer flight, that I wished him full joy, and pleasure of the pond. It lightened my heart to see him.

It was then that the frog moved. So quickly, I scarcely noticed him, amazingly quickly, for such a clumsy brute. One minute the dragonfly shimmered over the pool, the next he didn't. A long delicate leg dangled helplessly down from the frog's mouth. One gulp, and the leg vanished. I flung a stone at the ugly brute, but it dropped well short of the mark, and the frog stared at me balefully, as if to say ... 'What right have YOU got to interfere? It was between him and me!' Mrs Woods rapped on the window, and beckoned me up the path, to meet her two nephews.

"You're early," she said, approvingly. "Just like your father. Always had plenty of time for his regular clients. Very civil, very civil indeed. This IS nice. You'll have time to take some refreshment, with the two boys, before we go into my study. It's hot work, cutting the grass, and keeping the garden in trim; they'll appreciate a break."

I smiled wryly at that. The 'two boys' were older than me, with more than a sprinkle of grey in their hair, but compared with their aunt, of course, they were mere striplings.

The introductions were brief, but friendly.

"This is Harry," the old lady said. "Such a credit to the family name! A good, solid business down Wainstock Road," she ruminated. You could see her mentally filling up the pluses, against his account. When he shook my hand, however, his grasp was cold and clammy, and the wide slack grin on his upper lips never reached his eyes, which were large and fixed and impassive. He was broad-built, as my father had said, running to corpulence now, the sag of a paunch at his belt, with a fold of loose skin swaying beneath his jowl. Very smooth, very smooth, his skin was, with never a wrinkle on him. When he bent his long lean legs to ease himself into his seat, he looked uncommonly like a Chinese idol, perched on a lotus, all eyes and belly, and his voice when he wished me 'good day' was dry, and hoarse, and rasping.

Ned, on the other hand, was much as my father'd described him. Clever, and charming, with a light, darting mind, and a quicksilver turn of phrase. Even old Mrs Woods was mellowing to him, that was easily seen. He was handsome too, for his age, with fine dark eyes in a thin, ascetic face, and a slight, boyish figure, stylishly clad in navy trousers, with a gold chain at his neck, a piece of flashy flamboyance, that fitted neatly with the tapering, expressive hands, and the skin, as clear as gauze. If nothing else, he certainly did have charm.

"Mr Milne will be thirsty, boys," said their aunt. "Harry, be a dear, and fetch us all a glass of my raspberry vinegar, from the kitchen."

Mrs Woods' raspberry vinegar was quite legendary in the district, as a cure for colds, but the combination of tart rasps and vinegar did tend to explode on the tongue. I sipped it sparingly, though of course it was perfectly harmless, and totally non-alcoholic.

Harry was a long time in the kitchen, and when he returned, laden with the requested refreshments, he handed Ned a glass first. Gardening had made Ned thirsty. He drank it down, at a gulp.

"I say, aunt," he said. "This isn't half good."

"There's plenty more of it," volunteered his brother. "Isn't that right, aunt?" And he returned to the kitchen to pour Ned another, and another, before the two men went back to the gardening. I never saw anyone down as much raspberry vinegar as Ned Woods did that day.

An hour passed, and then a further two, before Mrs Woods and I finished sifting through the file upon file of papers she kept locked up in her safe.

"I'll require you to call again soon, Alan," she told me. "At my age, my affairs should be set in order, so that the young people can benefit, in due course."

I protested, gallantly, that she'd outlive us all, but set a time the following Thursday, to assist her in making her will. She walked me down the path, her frail, thin arm leaning slightly on mine. She stopped, aghast, by the lily pond. Between the trees, we could plainly see her nephew, staggering round the lawn. He was patently, obviously, totally, disgustingly, drunk. Neither of us said a word, but I felt a tremor of antipathy run through the old woman's arm, and her knuckles grew pale with rage. Ned had blown it THIS time, for good.

Harry came over immediately, dreadfully embarrassed.

"You mustn't think badly of him, aunt," he said. "He's a bit old to mend his ways. He found a bottle of vodka, hidden in the shrubs. I can't think when, or why, he scoffed it, really I can't," he concluded, in his curious, rasping voice.

For a second, Harry's chins sagged lower than ever, they positively puffed out, with what seemed to be a greenish tinge, but that could have been a trick of the light. Ned, teetering drunkenly through the reeds, waving his delicate arms in a hopeless floundering way, looked almost set to take flight, ridiculously like a

dragonfly. "Alcoholics are very sly," said Harry knowingly, with a sigh. "They're completely without moral standards."
And so, thought I, are frogs.

The Frog.

REETS

WIRDLEET: **GLOSSARY**

a: all
aathegither: altogether
aathing: everything
abeen, abune: above
aboot: about
aabody: everybody
accoont: account
acquant: familiar with
a-dirl: tingling
ae: one
aff: off
affa: awful
aff-cast: discarded
affrontit: ashamed
afore: before
aft: often
aften: often
agin: against
agley: amiss
ahin: behind
Aiberdeen: Aberdeen
aiblich: worthless person
aidder: adder
aik: oak
ain: own
aince: once
aipple: apple
airm: arm
airt: skill, art, direction
aisse: ashes
aix: axe
ajee: ajar
alane: alone
alang: along
alow: beneath
amang: amongst
an: and
ane: one
anely: only
aneth: under
anither: another
antrin occasional

apairt: apart
argy-bargy: argument
argyin: arguing
aroon: around
arra: arrow
ashet: flat, oval dish
atap: on top of
athegither: altogether
atween: between
auld: old
auld-farrant: old-fashioned
Auld Nick: Satan
Auld Lang Syne: long-gone days
Auld Reekie: Edinburgh
auld-farrant: old-fashioned
ava: all, at all
Avalon: Celtic earthly paradise
awa: away
aweel-awot: assuredly
awfy: awfully
ay(e): yes, always
aybydan: constant, eternal
ayefauldlie: sincerely
ayont: beyond
ay-returnin: recurring
aywis: always

b': by
baa: ball
back-end: late Autumn
back-spik: contradiction
bagfu: bagful
baillie: city magistrate
bairn: child
bairn-claes: child's clothes
bairnhood: childhood
bairned: pregnant
bairntime: infancy
baith: both
baloo: lullaby
ban: curse, scold
bandie: salmon, trout parr
bane (been): bone
bannock: pancake
bap: bread roll
barbit: barbed

barfit:	barefoot	binna:	be not
barkit:	filthy	birk:	birch tree
bates:	beats	birl:	spin, twirl
bauchelt:	worn, shapeless	birn:	heathery pasture, clutch
bauld:	bald	birrin:	whirring
baurdy:	bold	birssled:	scorched
bawbee:	halfpenny	birsse:	temper
bawd:	hare	bit:	small, but
beam:	bottom	bitter:	spiteful
becam:	became	bittie:	small piece
beck:	brook	bizz:	buzz
bedclaes:	sheets, etc	blabberin:	babbling
bedd:	stayed	blab:	gossip
beddit: abed, putto bed, embedded		Black Airt:	witchcraft
bedraiggled:	bedraggled	blad:	spoil
been, bane:	bone	bladdit:	spoiled
beeriet:	buried	blae:	bleak, bluish, numb
beetled:	worked industriously	blaik:	black (polish)
beets (buits):	boots	blate:	bashful, shy
beezer:	magnificent example	blatter:	rattle, beat
begeck:	shock	blaukened:	blackened
begrutten:	tear stained	blawn:	blown
behauden:	beholden to	blearie:	blurred, dim
belang:	belong	blears:	dims
Beltane:	1st May	blether:	chatter
bellin:	bellowing (of stag)	blichted:	blighted
belly:	drink copiously	blin:	blind
Ben:	mountain	blintern:	flickering
ben:	within, along, through	bluid:	blood
betimes:	occasionally	blyter:	silly chatter
besoms:	brushes	blythe:	merry
bicker:	rustle	boatie:	small boat
bid:	ask	bocht:	bought
bide:	stay	boddom:	bottom
bidden:	stayed asked	body:	person
bield:	shelter	bog:	quagmire
bigg:	build	bonnie:	pretty
biggin:	building	boo:	bend, bow
biggit:	built	bool-eed:	goggle-eyed
bigsie:	conceited	bools:	marbles
bikk:	bitch	boorich, bourich:	cluster
bamboozle, bumbaze:	flummox, bewilder	bourichie:	small cluster
		booze:	carouse
bile:	boil	boozer:	public house
billie:	comrade	bosie:	cuddle, embrace
bin:	been	bosker:	superior object

bowdie:	bow legged	buik-learning:	education
boss:	empty	buits:	boots
bowf:	dog's bark, cough	bumbaze:	astonish, bewilder
bowk:	vomit	bumbee:	bottom, bumble bee
bowster:	bolster	bumshayvelt:	disordered
bracken:	fern	bummer:	bluebottle, bumble bee
brackened:	ferny	bummin:	humming
brae:	slope	burn(ie):	brook
braeheid:	hillhead	buskit:	adorned
braid:	broad	buss:	bush
braidclaith:	broadcloth	but and ben:	two roomed cottage
braith:	breath	byordnar:	extraordinary
braisse:	brass	byke:	bees', wasps' nest
brak:	break	byre:	cowshed
brakk:	break		
brakk-neck:	break-neck	ca(a):	call, drive
braw:	handsome, excellent	caain, cawin:	croaking
bogie, bogle:	ghost	caa ower:	knock over
braws:	fine clothes	ca-cannie:	be careful
bree:	liquid, strain	caff:	chaff
breem:	brush, broom bush	cailleach:	old woman
breeks:	trousers	caimb:	comb
breenge:	rush forward	cairds:	cards
breet:	beast, brute	cairn:	conical heap of stones
breid:	bread	cairry:	carry
bricht:	bright	cairry-oot:	drink ('carried out')
brierin:	sprouting	cairt:	cart
breist:	breast	caller:	fresh, cool
bricht:	bright	cam:	came
brig:	bridge	canker:	corroding care
brikk:	trouser	cankered:	blighted
brither:	brother	canna:	cannot
brocht:	brought	cannie:	careful
brogue:	rawhide shoe	cannily:	cautiously
brod:	board	cannel (caunle):	candle
broo:	forehead	cannie:	careful
broon:	brown	cant:	humbug
brose:	oatmeal, boiled water	cantie:	cheery
brosie:	stout	carl:	old man
broukit:	besmirched	carlin-wife:	old woman, hag
brukken:	broken	cassen:	cast, worn
brummle buss:	bramble bush	cassie:	causeway stone
brunt:	burned	cassie-claik:	street speech
bubbly:	snotty	cast-aff:	discarded
bubbly-jock:	turkey	catched:	caught
buik:	book	cateran:	Highland freebooter

cat's pyjamas:	perfection
cattle-coort:	cattleyard
cauld(rife):	cold
caunle-rikk:	candle smoke
celeestial:	celestial
certes:	certainly
Chae:	Charles
chanter:	finger-pipe of bagpipes
chaip:	cheap
chap:	rap, strike
charnel-hoose:	charnel house
cheenge:	change, loose coins
cheep:	hint, cheep
chiel:	man
chine, chyne:	chain
chitter:	tremble, crumble
choochin:	puffing
chuckens (chukkens):	chickens
chuffie-cheeks:	fat cheeks
chum:	befriend
chunnerin:	grumbling
clachan:	hamlet, village
clack:	clatter
claes:	clothes
claik:	tittle-tattle
claith:	cloth
clamjamphrey:	mob
clapped doon:	set down
clart:	besmirch, splodge
clash:	gossip, clatter, dash
clatter:	chatter
clawin:	clutching, scratching
clay-fittit:	one foot in the grave
cled:	clothed, clad
cleekit:	hooked
climm:	climb
clinkin:	jingling
clinkum-clunk:	jingle
clip:	cut, shear
clippers:	scissors
clockin hen:	broody hen
clook:	claw
cloor:	blow, strike
cloot:	rag, cloth
Clootie:	Satan

clootie dumplin:	pudding steamed in cloth
clort:	sticky mess
clorty:	messy, hefty, thick
clype:	tell-tale
cock-a-bendy:	sprightly boy
cock a lug:	listen
cock a snoot:	thumb one's nose
cock oot:	protrude
cocky:	pert
coddlit:	cuddled, fussed over
coggie:	small keg
colleckit:	collected
come awa ben:	enter
commattee:	committee
commandeer:	take over, command
connach:	spoil, waste
conneckit:	connected to
consarn:	concern, matter
contermaschious:	awkward
coo:	cow
cooncillor:	councillor
coonter:	counter
coont:	count
coordy:	cowardly
coor, cooer, coorie:	cower, stoop down
coorse:	bad
coort:	court
cooshie doo:	pigeon
coost:	cast
corbie:	raven, crow
coronach:	Highland dirge
corrie:	hillside hollow
couthie:	pleasant
cover:	serve (of bull)
cowed:	intimidated
cowp:	overturn
crabbit:	peevish, crotchety
cracks a lowe:	strikes a flame
Crack o Time:	Creation
craitur:	creature
crannie:	little finger, crevice
crap:	crop
craw:	crow (hoody), boast
creashie:	fat, greasy

creel:	basket	deil the:	nothing of
cribbed:	penned in	deist:	bounce heavily
cried inby:	visited	dell:	goal
crimpit:	waved, curled	delicht:	delight
croon:	crown	dement:	torment
crouse:	comfortable	den:	glen, dell
crummlin:	crumbling	denner:	dinner
cry:	summon	derk:	dark
cud:	could	derksome:	gloomy
cuddy:	donkey	devaul:	linger, pause
cushie:	pigeon	dicht:	wipe
cudna:	could not	didna:	did not
curmurrin:	crooning	din:	noise
cutty:	short	ding (doon):	overcome, dash
cweeled:	cooled	dinna:	do not
cyard:	tinker, hawker	dird:	thump
cauld-showder:	snub	dirk:	small dagger
		dirl:	vibrate
dae, dee:	do	dis:	does
dab:	'let on'	dished:	done for
daddylanglegs:	crane fly	disjaskit:	forlorn, dejected
daith:	death	disna:	does not
dall:	doll	div:	do
damn the bit:	how surprising	divilment:	mischief
dander:	temper	divils:	devils
dane, deen:	done	divit:	sod
darg:	day's work	dizzen:	dozen
darklin:	darkening	dock:	bottom
darksome:	dark	docken:	dock weed
dashed:	dratted	dodder:	dawdle, tremble
dashin:	showing off	doddle:	toddle
dauchle:	slacken speed, linger	dod na:	indeed not
daud:	chunk	dominie:	teacher
daunder:	saunter, stroll	doo:	dove
daurna:	dare not	dook:	bathe, swim
daws:	dawns	dookers:	bathing costumes
daylicht:	daylight	dookit:	dove cot
deaved:	pestered	doon:	down
dee:	die	doon an oot:	derelict
deef:	deaf	doon-cast:	dejected, cast down
deem:	young woman	doon-luik:	frown
deevilick:	imp	doon-pitten:	snub
deid:	dead	doon-sitten:	domestic comforts
Deil:	devil	doon-wyed:	weighed down
deil-may-care:	carefree	doot:	doubt
deil-nur-docken:	a fig	Doric:	North East Scots

dottled:	senile, forgetful	ee:	eye
douce:	gentle, tidy	een:	eyes
doup, dowp:	bottom	eence:	once
doup doon:	sit	eerins:	messages
dour:	stern, sullen	eesefu:	useful
dowie:	dismal	eesed:	used
dowp:	bottom	eeseless:	useless
dozy, dozent:	stupid	efter:	after
draucht:	boundary ditch	eident:	industrious
dram:	glass of whisky	eildritch:	unearthly, weird
drap:	drop	Eird:	Earth
drapt:	dropped	Embro:	Edinburgh
drave:	drove	en:	end
drear:	dreary	enfauld:	enfold
dree:	fulfil (fate)	enless:	endless
dreel:	furrow	ett:	eat
dreep:	drip	ettin:	eating
dreich:	dreary, doleful	ettles:	hankers, is eager to
dreid:	dread	ewdendrift:	drifted snow
dreidfu:	dreadful		
dribble:	drip	fa (wha):	who
drift:	windblown bank of snow	fa the sorra?:	who on earth?
driven:	heaped up	faa:	fall
drochle:	puny person	faddom:	fathom
droggit:	drugged	faem:	foam
drookit:	drenched	faimlies:	families
droon:	drown	fain:	eagerly
dross:	coal, peat dust	fair:	quite, rather
drouth, drooth:	thirst	fairm:	farm
drucht:	drought	faist:	fast
Druid:	Celtic priest	faith:	indeed
drumly:	gloomy, sullen	faither:	father
dubs:	mud	falderal:	gee-gaw
dug:	dog	faldin:	folding
dule:	sorrow	fan(d):	found
dulse:	seaweed	fancy pieces:	high cuisine
dumfounert:	astounded	fantoosh:	fancy
dungers:	dungarees	fantoosherie:	affected elegance
dunt:	blow, fall, knock	fauld:	fold
dwaum:	daydream	far (whaur):	where
dweeble:	weak	fare:	food
dwine:	decline, wither	fareweel:	farewell
d'ye:	do you	fash:	vexation, wearisome business
dyeuk:	duck	fashed:	vexed
dyew:	dew	fa't, faut:	fault
dyke:	wall	fattit:	fatted

fecht:	fight
feckless:	weak willed
feart:	afraid
feel:	fool
feerin:	marker furrow
feery-feet:	brisk walking
feint:	scarce
fegs:	faith (excl)
fell:	quite
fell tee:	set to, came round
ferfochen:	exhausted
ferlie:	marvel, object, thing
fey: unnatural, second sighted, fairy,	spectral
ficher:	tamper with
fiers:	companions
fikey, fykey:	troublesome
file, fyle:	(to) soil, whilst
fin:	when, feel, find
fine:	well
finggin:	sent flying (object)
fit, whit:	what, foot, capable
fitfa:	footfall
fite:	white
fitiver:	whatever
fit's adee?:	what's wrong?
fittit:	footed, shod
flechs:	fleas
flecks:	spots
flee:	fly
flee-up:	flighty, uppity person
fleer:	floor
fleerich:	flourish
fleerichan:	blustering
fleg:	fright
fleggit:	scared
flicherty:	flighty
flicht:	flight
flimflammery:	nonsense
flittin:	house removal
flooer:	flour, flower
fly:	sly
flytin:	mocking, scolding
foo:	how, drunk
fooner:	founder
fooshty:	mouldy

fooshun:	vigour
fooshunles:	numb, listless
foraye:	forever
forbye:	besides
foregaither:	assemble
foreneen:	forenoon
foresweir:	renounce
foriver:	forever
foriver an ay:	forever
forkietails:	earwigs
forkit:	divided
forrit:	forwards
foun:	foundation
fower airts: North, South, East, West	
fowk:	folk
frae:	from
fremmit:	foreign, strange
frichtsome:	frightening
frichtit:	affrighted
friens:	friends
frostit:	frozen
froun:	frown
fu:	full, drunk
fug:	close atmosphere
fu lick o the ladle:	full measure
fur:	for
furl:	whirl
furth (muckle):	wide world
fu's a puggie:	drunk as a monkey
fushtie:	mouldy
fuskered:	whiskered
futtle:	whittle
futterat:	weasel
fyeuchie:	unsavoury
fyew:	few
fyke:	trouble
fyky:	awkward, troublesome
fyles:	sometimes
gab:	prating, tell-tale
gabber, gibber:	babble
gad:	fishing rod
gadhelic:	of Celtic origin
gaed, gied:	gave, went
gaed yer ain gait:	went your own way

gaen, gien:	given, gone
gaes:	goes
gainsay:	deny
gairdener:	gardener
gait:	way
gaither:	gather
gallivant:	jaunt coquettishly
gallus:	rascally
galluses:	braces
gamie:	gamekeeper
gang, gyang, ging:	go
gangrel:	vagrant, wandering
gape:	gap
gappit wi grue:	wide with despair
gar:	make
gart:	made
gar him grue:	make him repent
gash:	shrewd
gaun:	going
gawping:	gaping
gean:	wild cherry
gear:	belongings
geed:	hished
geet:	child
genteel:	refined
gey:	rather
ghaist:	ghost
gie:	give
gie a docken:	care a snuff
gie lip:	be impudent
gie the go-by:	avoid
gie the scorn:	snub
gied a grue:	made a moan
gin:	if
gings:	goes
gird:	hoop
girn:	moan, snarl
girny:	fretful
girse, girsse:	grass
girthy:	stout
glaiss:	glass
glamourie:	glamour
glaur:	mud
gledden:	gladden
gledsome:	glad
gleg:	keen, brisk, gadfly, clever

glekit:	senseless
gleyin:	squinting
glimmer:	shimmer
glimsk:	glimpse
glintin:	gleaming
gloam:	dusk
gloaming:	twilight
glower:	stare, scowl
glysterie:	stormy, boisterous
gobbed:	spat
gollach:	earwig
gollup:	swallow hastily
gomeril:	fool
gorblie:	unfledged bird
goun:	gown
gowd:	gold
gowf:	golf
gowk:	fool, cuckoo
grain:	fibre
gralloch:	gutting of slain deer
gran:	grand
granfaither:	grandfather
grat:	wept
gratefu:	grateful
greenwid:	greenwood
greet:	cry
grieve:	farm foreman
grippit:	gripped
grippy:	mean
grit:	endurance
grit it oot:	ensure
groat:	trifling sum
grue:	shudder (of fear)
grummel:	grumble
grumph:	grunt, complain
grun:	ground
guff:	evil smell
guid:	good
guidsakes:	goodness me!
guisers:	Halloween revellers
gurl:	growl
gurly:	stormy, threatening
gyad:	exclamation of disgust
gyaun, gaun:	going
gyangin fit:	outgoing habits
gype:	fool

gypit:	foolish	haudin:	holding
gyte:	mad	haun:	hand
		hawkin gear:	tinker's bits and pieces
ha:	hall	hedder:	heather
haar:	fog	heelstergowdie:	topsy-turvy
haavers:	whimsies	heels ower tip:	head over heels
(haver:	talk nonsense)	heeze:	hoist, swarm
hack:	chop	hefty:	weighty
haddie:	haddock	heich:	high
hadna:	had not	heid:	head
hae:	have	heid-bang:	head butt
haik:	wander aimlessly	heid-bummer:	important official
haimmer:	hammer	heid-gaffer:	head foreman
hairm:	harm	heid-stane:	gravestone
hairry:	plunder	heirskip:	heritage
hairse:	hoarse	heist:	lift
hairt:	heart	heistie-up:	advancement, raise, lift
hairsts:	harvests	Heilan:	Highland
hairty:	hearty	herbour:	harbour
haive:	throw	herdsman:	cattleman
haivered:	talked nonsense	herry:	despoil, plunder
hale:	whole, entire	hett:	hot
half-hung-tee:	ramshackle	hickled aff:	bundled off
half-seas-ower:	tipsy	hid:	had
halflin:	stripling	hidey-holes:	secret corners
hallooin:	crying up	hidna:	had not
hallyrackit:	untidy, wayward	high-jinks:	pranks
haly:	holy	hine, hyne:	far
hame:	home	hing:	hang
hame-drauchtit:	home-drawn	hingin-luggit:	dejected
hame-haudin:	home-loving	hinmaist:	latest, last
hamely:	homely	hinna:	haven't
handsel:	luck token	hinner:	hinder, drawback
hantle:	much, many	hinner-en:	finish
hap:	cover, shelter	hinney:	honey
happit:	covered	hirple:	limp
hard ben:	close to	his:	has
hard-vrocht:	hard worked	hish awa:	shoo away
hardy:	robust	hishin:	shooing
harken:	hearken	hist ye back:	tempt to return
harns:	brains	hiv:	have
harrigals:	animal's entrails	hoast:	cough
hash:	hurry, noisy tumult	hodden:	homespun, grey cloth
hatefu:	hateful	hodged:	fidgeted
haud:	hold	Holy Willie:	religious zealot
haudit:	held	hooch:	strong liquor, cry out

hoodie:	hooded crow	ill-rowin:	badly running
hoolichan:	Highland reel	ill-taen:	bad tempered
hoor:	whore	ill-thochtit:	evil-minded
hoose:	house	ill-trickit:	mischievous
hoot:	fie, fig	ill-yok't:	ill-bonded
hornygollach:	earwig	imph:	exclamation of assent
horseman's wird:	initiation rite	inby:	within
	amongst horse-ploughmen	incomers:	new arrivals
hose:	socks	infauldin:	enfolding
hotch:	swarm	ingaitherin:	ingathering
houghmagandie:	fornication	ingine:	engine
howe:	hollow	ingin:	onion
howf:	pub	inno, intil:	into
howk:	dig up	insteid:	instead
howlet, hoolet:	young owl	intae (intil):	into, onto
hubber:	stammer	intimmers:	insides
huddrie-heidit:	shaggy-haired	ither:	other
huffy:	sulky	itsel:	itself
hugger-muggery:	secrecy	iver:	ever
humfy-backit:	hump backed	ivry:	every
hummle:	humble		
hummlin:	humbling	jaad:	loose woman
hung-tee:	jammed to	jaiket:	jacket
hunkerin:	squatting down	jaunty:	cheerful
hunner:	hundred	jawer:	gossip
hurdies:	hips	jeeled:	frozen
hurl:	ride, lift on road	jeelin:	chilling
hurly-burly:	tumult	jeely:	jelly
hurly-gush:	gushing water	jeloosed, jeloused,	
hye:	hay	jealoused:	surmised
hye-makkin:	hay making	jibber:	chatter
hyne:	far	jibblin:	spilling
hyne-aff:	distant	jimp:	slender
hyowin:	thinning weeds	jines:	joins
hystit:	lifted	jing-bang:	whole amount
hyter:	totter, stumble	jinin:	joining
		jink:	dodge, frolic
i (i'):	in	jinkie:	gay, jerky
ice-bree:	thawed snow	jist:	just
ilk:	each	Jo:	dear
ilkie:	every	job, jobbit:	prick, pricked
ile:	oil	jug-luggit:	dish-eared
ill:	unlucky, bad	jyler:	jailor
ill-greein:	disputatious	jyne:	join
ill-liked:	unpopular		
ill-natured:	bad tempered	kail throw the reek:	to be berated

kailyaird: vegetable garden
keckle: chuckle
keek: peek
keekin-glaiss: mirror
keenin: wailing (over corpse)
keepit: kept
kelpie: water-sprite, river-horse
ken(nin): knowing
kenspeckle: distinguishing feature (of)
kent: known, knew, familiar
kepp: catch, head off, herd
kerfuffled: dishevelled
kiboodle: crowd
killin hoose: slaughterhouse
kimmer: companion
kin: blood relatives, kind
Kingdom-Come: Eternity
kinna: kind of
kinnles: kindles
kinnlin: firewood
kinnelt: lit
kintra: country
kirk: church
'kirk or a mill' (tae makk): to make what you will of
kirn: mixture, mix (messy)
kist: chest, coffin
kistit: coffined
kitchie: kitchen
kittle: skittish, sharp, fondle, tickle
kittler: more skittish
kittlesome: easily irritated
kittlie: ticklish
kittlin: kitten, tickling
knipin on: hurrying on
knobbies: knobs
knottit: knotted
knowes: small hills
kye: cows
kyte: belly

labsters: lobsters
lad: youth
laft: loft
laich (laigh): low

laich road: low road, underground
laid by: set aside
laidder: ladder
laik-wake: death watch
laired: stuck in mud
laird: landed proprietor
lammie: lamb
lan: land
lane: alone
lanely: lonely
lang: long
langamachies: rigmaroles
lang-gaen: long-gone
langin: longing
lang-luggit: eavesdropping
langsyne: long ago
larick: larch tree
larry: lorry
lass(ie): girl
lat: let
latchy: tardy
lauch: laugh
lave (the): the rest
lavvy: toilet
lays: sung ballads
lea-lang: livelong
lear: knowledge
ledder: ladder
lee: lie, shelter
leesome: pleasant
leevin: living
leerie-man: lamplighter
leid: metal, language
leifer: rather
leverick: lark
libbit: castrated
lichtenin: lightening
licht: light
lichtit: lit
licht-fit: nimble
lichtsome: delightful, bright
lift: sky
like: likely
likit: liked
liltin: crooning, singing
limmer: loose woman, rascal

ling:	variety of heather	maun:	must
linn:	waterfall	mauna:	must not
lintie:	linnet	maw:	mouth
lino:	linoleum	may:	maid
lipped:	tasted	mealie-moued:	plausible
lippent:	harkened	mebbe:	maybe
list:	listen, enlist	meen, mune:	moon
listit:	listed	meenister:	minister
littlins:	young ones	meer:	mare, moor
loch:	lake	meenits:	minutes
lochan:	small lake	meenlicht:	moonlight
loe, loue, lue, loo:	love	meevin:	moving
loon (loun):	boy	melee:	affray
loshty:	Lordsakes	mells:	grinds, mixes, fornicates
loup (lowp):	jump	merriege:	marriage
lowe:	weak bleat, flame, fire	merriet:	married
lowrin:	gloomy	mervel:	marvel
lowse:	stop work, slacken, open	micht:	might
lug:	ear	midden:	dunghill
luik:	look	midden-tap:	top of dunghill
lum:	chimney	midgie:	mosquito
lute (loot):	let	midnicht:	midnight
luve:	love	mids:	middle of
lythe:	agile, soft	mill-lade:	mill race
lythesome:	flexible	mim-moued:	prissy, proper
		min(e):	mind, remember
ma:	my	mineer:	stir, plight, to-do
mainners:	manners	mingin-minnie:	moaning minny
mair:	more	minkit (Aberdeen):	filthy
mair adee:	more to do	mirey:	boggy
mairch:	march	mirk:	dark, dusk
mairket:	market	mirkest:	duskiest
mairry:	marry	mirky:	merry
maist:	most	mirl:	crumble, swirl together
maister:	master	mirlygo:	frolicsome
maitter:	matter	mishanter:	misfortune
malagaroosin:	mischieving	mistak:	mistake
mak(k):	make	mither:	mother
makkar:	poet	Mither Tongue:	Doric
maik, make:	looks	mixter-maxter:	mixture
mane:	moan	mizzle:	speckled
mannie, mannikie:	little man	moch:	moth
marra:	equal, match	mochie, mochy:	mouldy, damp, foggy
mart:	market		
masel:	myself	monie, mony:	many
mask:	infuse tea	mools:	grave-soil, fornicates

moosies:	mice	nocht:	nothing
Mormaer:	Thane	nochtie:	inconsequential
morn (the):	tomorrow	noo:	now
moth-etten:	moth-eaten	Nor:	North
mou:	mouth	Norlan:	Northern
mowdie:	mole	nowt:	cattle
mowser:	moustache	nur:	nor
muck:	dung	nyaakit:	naked
muck:	to clean byre	nyitter:	speek peevishly, nag
muckle:	large		
muir:	moor	o (o'):	of
mummlin:	mumbling	och:	oh
munelicht:	moonlight	ochone:	alas
murns:	mourns	ocht:	anything
myowt:	faint new	oer'swack:	noise of breakers
		odds:	difference
na, nae:	no not	onchancy:	ill-omened
naebody:	nobody	on-ding:	heavy snowfall
na fegs:	no indeed	on-gauns:	happenings
naethin:	nothing	on the meenit-heid:	punctual
naewye:	nowhere	ontil:	until
naig:	nag	ony:	any
naitur:	nature	onybody:	anyone
nane:	none	onyroad, onywye:	anyway
neb:	nose	oor:	hour, our
neebours:	neighbours	oor-glaiss:	hour glass
neep:	turnip	oorie:	bleak, eerie
ne'er:	never	oot:	out
ne'er dae weels:	incorrigibles	ootbye:	outside
neist:	next	ootlinned:	outcast
neive:	fist	ootluik:	outlook
neived:	knuckled	ooto:	out of
nerra:	narrow	oot-ower:	out over
nesty:	nasty	oot-rigs:	out furrows
neth:	beneath	or:	until
neuk:	corner	orra:	low, worthless, bad, filthy
neukit:	cornered	orral bree (orrals):	dregs
news:	chat	o't:	of it
nicht:	night	overwecht:	overweight
nicht-watchie:	night watchman	ower:	too, over
nickums:	rascals	owercome o':	tune's conclusion
nippers:	pincers	owergaun:	'going over', row,
nippick(y):	morsel	inspection	
nippit:	ran smartly	owergien:	given over, up to
niver:	never	oxter:	armpit
nivermair:	nevermore		

pairt:	part	powk:	prod, poke
pairtly:	partly	pree:	taste, kiss
pan-loaf:	affected, proper English	preen:	pin
parridge:	porridge	preint, prent:	print
parridge-bree:	gruel	Preses:	President
parks:	fields	prig:	beg, plead
pearlin:	white lace	prood:	proud
pech:	pant, breath	pu:	pull
peely-wally:	pining, sickly looking	puckle:	small amount
peenge:	whine	pudden:	pudding
peenie:	pinafore apron	puddock:	frog
peesie:	lapwing	puddock-steel:	toadstool
peesie-wheep:	lapwing, its call	pugglit:	sweatily exhausted
peety, puity:	pity	puil:	pool
peint:	paint	puir:	poor
perfeck:	perfect	pyement:	payment
perjink:	finicky	pyke:	pick
pernickity:	finicky	pyntit, pintit:	pointed
pibroch:	bagpipe music (classical)	pyocher:	cough up phlegm
pictur:	picture	pyock:	bag
pinkie:	primrose, little finger		
pirlie:	picked (of wool)	quanter:	awkward, defy
pirls:	tiny balls	quate:	quiet
pirn-taed:	toes turned in	queats:	ankles
pit:	put	quests:	hunts
pit-mirk:	intense darkness	quines:	girls
pitten:	putting	quo:	said
pitter:	fall (like raindrops)		
pitterin-patt:	pitter-patter	rabbit-roadies:	rabbit tracks
pith:	substance	rage:	scold
plaidie:	blanket	ragwirt:	ragwort
pleased:	plaited	raik:	gad about
pleisur:	pleasure	raither:	rather
ploo, pleu:	plough	raivelled:	tangled
plook:	pimple	rale:	real
plottin:	perspiring	ramgumption:	mettle
pluff:	puff out	rampagin:	rushing through
plunkit:	dumped down	randy:	ruffian
plyter:	muck, mess, to splash through	rant:	wild tale
		rare:	excellent
polis:	police	rattens, rottens:	rats
pooch:	pocket	raw:	row
poon, pun:	pound	raxx:	stretch, reach out
poor, pouer:	power	redd up:	tidy up
posie:	nosegay	ream:	overfilled measure
powe:	head	reeky:	smoky

reef:	roof	sab:	sob
reels aff:	rattles off	Sabbath:	Sunday
reemin:	brimming	Sabbath braws:	Sunday best
reenge:	range	sae:	so
reeshlin:	rustling	saft:	soft
reet:	root	sair:	sore
regairds:	regards	sairly:	sorely
reid:	red	sair-made:	hard put to
reid-biddy:	cheap wine	sairs:	sores
reid-cheek't:	rosy cheeked	san:	sand
reistin:	roosting	sang:	song
reive:	plunder	sap:	moisture
remeid:	remedy	sappy:	sodden, wet
rendrin:	suppurating	saps:	pulp food
respeck:	respect	sark:	shirt
richt:	right	satt:	salt
rickle:	living skeleton, loose pile	sattle:	settle
rift:	belch	sax:	six
rig:	ploughed furrow	saxpence:	sixpence
riggit:	made ready	scaffie:	refuse collector
riggit the kirk:	attended the church	scale, skail:	spill, disperse
rig-widdie:	long enduring	scarce:	hardly
rikk:	smoke	scaud:	vexation
ringel-eed:	white-eyed	scauld:	scold
rin:	run	schule, skweel:	school
rive:	pull forcibly	sclate:	slate
riven:	torn	sclimb:	climb
roaders:	road workers	scoop:	ladle
roch:	rough	scoor:	punish, scour, diarrhoea
roch-chinned:	unshaven	scooshle:	shuffle (walk)
roch n' tummle:	rough	scraich, screich:	screech, scream
rochle:	wheeze through phlegm	scrat:	scratch, scrap
rodden:	berry of mountain ash	scratten:	scratching
roon:	round	scraun:	borrow
roose:	upset, annoy, temper	screiched:	screeched
rooser:	watering can	screive:	write
rosit:	resin	scud:	skim, whip, blow
roosty:	rusty	scunner:	disgust
roup:	sale by public auction	scurl:	scab
rowe:	roll, wrap up, scoop shape	scutter:	messy work, waste time
rowth:	abundance	scuttery:	bothersome
ruck:	haystack	secunt:	second
rugged:	rickety	seely:	happy, blessed
rug(g):	tug, pull	seenister:	sinister
rummles:	tumbles, rummages	seerip:	syrup
rype:	thieve	seeven:	seven

sel:	self
semmit:	vest
sen:	send
sere:	withered
Setterday:	Saturday
sgian-dubh:	black knife, sock dagger
shaddae:	shadow
shag:	cormorant
shak(k):	shake
shank:	leg, stem
shard:	small, broken piece
sharger:	weakling, piner
sharn:	cow dung
shears:	scissors
sheen:	shoes
sheet:	shoot
sheil, sheilin:	cottage, shepherd's hut
sheil:	clear snow
shelt:	pony
sherp:	sharp
sheuch, sheugh:	ditch
shiftin:	elusive
shinned:	scrambled up
shoddy-genteel:	poor but proud
shoogle:	shake
shortbreid:	shortbread
showder:	shoulder
showd:	swing, rock
shuggle, shoogle:	sway, shake
shullin:	shilling
sib:	of the same blood, or kin, related to
sic, sikk:	such
siccan:	such
sick, sikk:	ask
siccar:	firm
sicht:	sight
sic-like:	of the same kind
sikk:	seek
siller:	money, silver
simmer:	summer
sin:	since
sire:	father
sit siccar:	play safe
sizzens:	seasons
skaith:	hurt
skeelie, skeely:	skilful
skelp:	smack, large area
skinklet:	sparkled
skint:	penniless
skinnymalinkie:	very thin
skirl:	yowl
skirp:	droplet, small amount, sprig
sklaik:	gossip
skitter:	splash filth
sklyter:	heavy fall
skushle, scooshle:	shuffle along
skyllich:	yellow ragwort
skyrie:	gaudy
skweejee:	squint
skyte:	slip
skyty:	slithery
slaver, slivver:	slubber
slaw:	slow
slaw-fittit:	slow footed
sleekit:	cunning, sly
slicht:	worthless
slichtit:	slighted
slidder:	slip, slither
sliddery:	slippery
slippit:	slipped
slivvery:	slimily
slocken:	quench
slorrach:	slut
slubber:	gurgling swallow
sma:	small
sma-boukit:	shrunken, small
smairt:	smart
smeddum:	gumption, mettle
smirr:	drizzle
smithereens:	tiny particles
smitten:	infectious
smoorichan:	kissing, stolen kiss
smore:	winter weather, smother
smush:	powdery pulp
sna(w):	snow
snaw bree:	melted ice
sneck:	latch
sneckit:	snagged
snell:	keen, sharp
snib:	fastening, bolt
snibbit:	bolted

snicher:	snigger	splyter:	spatter
snifter:	sneer, sniffle	spottit:	spotted
snifter (a wee ...):	small dram	sprauchled:	sprawled
snigger:	fish poacher's snare	sprooted:	sprouted
snippin:	cutting	spukken fur:	bespoken
snocher:	snuffle	spunk:	match, pluch
snod:	neat	spurgie:	sparrow
snoot:	nose	spyle:	spoil
snorrels:	tangles	squallichin:	squealing
snot:	nasal mucus	squar:	square
socht:	sought	squatter:	crowd
sodjers:	soldiers	staa:	stall
someither:	some other	stap:	stuff to capacity
somewye:	somewhere	stammache:	stomach
sonsie:	plump, thriving	stammygaster:	shock
soo:	sow	stane, steen:	stone
sook:	suck	stang:	sting
soomin, sweemin:	swimming	stank:	stagnant water
soople:	supple	stappit:	stuffed full
soor:	sour	starnies:	stars
sooth:	south	starny:	starry
sorra:	sorrow	staun:	stand, tolerate
sortit:	sorted	steadin:	farm building
soss:	mess	steekit:	closed, shut
sottar:	dirty wetness	steen:	stone
sough:	sigh (of wind)	steep:	bathe
soun:	sound	steer:	bustle, stir
soundin:	sounding, swooning	steerin:	bustling
sowens:	dish made from cat-husks	sterched:	starched
sowl:	soul	sterk:	stark
spaads:	spades	stert:	start
spae-wife:	fortune teller	stew, styew:	dust
spak, spukk:	spoke	stibble:	stubble
span:	hand measure	stibble-chaffed:	corn-stubble burns
spate:	flood	stinch:	strict, morally upright
spayver, fly:	trouser opening	stirk:	steer (animal)
speecially:	especially	stirkie:	small steer
speen:	spoon	stob:	prick
speir:	ask	stock:	breed, family, farm animals
sperk, spirk:	spark, splash	stook:	set up sheaves
spik(k):	speech, speak	stoons, stoonds:	aches, throbs
splay-fittit:	feet turned out	stoor:	dust
spleuter:	splash, spatter	stooshie:	commotion
sploosh:	splash	stoppit:	bounced, tottered
splore:	explore	stoun:	throb
splurge:	splash out	stoury:	dusty

stracht, straucht:	straight	tae:	to, toe
strae:	straw	taed:	toad
stramash:	uproar, tumult	taen:	taken
strang:	strong	taes:	toes
stravaig:	saunter	taiglit:	entangled
streek:	stretch out	tak(k):	take
streetch:	stretch	tak tent:	beware
striddled:	straddled	tammie:	beret
strik(k):	strike	tangy:	flavoursome
strippit:	striped	tap:	top
strip the willow:	a dance	tappit:	topped
stude:	stood	tapsalteerie:	topsy-turvy
sturdy:	strong	tashed:	stained, flawed
styew:	dust	tattie:	potato
styte:	nonsense	tattie-bogle:	scarecrow
stytrin:	staggering, tottering	tcyauch:	tush
sud:	should	tcyauve, tyaave:	struggle
suddenty:	suddenness	tedd:	lout
Suddron:	Southern	tee, teetle:	against
sudna:	should not	teem:	empty
sumph:	simpleton	teenie:	tiny
sundry:	assorted	teet:	peek
sune:	soon	teet-bo-Geordie:	chasing game of tig
sup:	drink, a small portion	teethless:	toothless
swack:	supple	teir:	tear
swallaed:	swallowed	teirin alang:	rushing along
swallin:	swelling	telt:	told
swank:	pretension	tend:	care for
swap:	exchange	term-time:	Whitsun, Martinmas
swatch:patch (large), swathe, largish area		tether:	restrain(t)
sweel:	swirl	teuch, teugh:	tough
sweemin:	swimming	teuchit:	lapwing
sweenge:	swing	teuchit-storm:last spring snowstorm	
sweir:	curse, swear	theekit:	thatched
sweirity:	tenacity, obduracy	thegither:	together
swete:	sweet	thimsels:	themselves
sweys:	sways	thir:	their
swick:	cheat	thirled:	bound, thralled
swippert:	nimble, swift, supple	thirsel:	themselves
swither:	hesitate	tho:	although
swyte:	sweat	thocht:	thought
sune:	then	thole:	endure
sypin:	seeping	thon:	those
		thoomb:	thumb
		thoombin:	thumbing
tacket buits:	studded boots	thoosan:	thousand

thinggies:	things
thrang:	throng
thrapple:	throat, throttle, neck
thraw:	twist, wring
thrawn:	stubborn
threep:	cheep
threid:	thread
threids n' thrums:	scraps of thread
thrifty:	frugal
thrimmles & thrummles:	scraps of thread
thrissle, thrussle:	thistle
thrive:	prosper
throw:	through
throwither:	through each other (lit), haphazard, devil may care
thummel:	thimble
thumpit:	thumped
thunner:	thunder
ticht:	ticht
tig:	game of touch
till:	to, until
til't:	to it
timmer:	wooden
timmer-heidit:	stupid
timmered up:	worked keenly on
timmer sark:	coffin
tinchel:	deerstalker's circle, snare
tink:	vagrant, tramp
tint:	lost
tippeny-toot:	worthless item
tirlin-pin:	door-knocker
tirred:	stripped (clothes)
tit-tits:	jerks
tither:	the other
tod:	fox
toddy:	whisky, sugar and hot water
tongue-tack't:	tongue-tied
toon, toun:	town, farm buildings
toorie:	beret
tooshtie:	small quantity
toot:	trumpet
toozles:	hair-tugs
toun:	town
tousie, touslie:	dishevelled
touzelt, touslit:	ruffled

towe:	rope
tow-rag:	wastrel
traivel:	journey
trauchle:	drudgery, trudge
treetled:	trickled
tribble:	trouble
trig:	neat, trim
trimmer:	tremor
trimmlin:	trembling
trinnel:	moving stream
troch:	cattle trough
trock:	goods, odds and ends
troosers:	trousers
troot:	trout
tryst:	meeting
tuik:	took
tull (tae):	to
tummelt:	tumbled
turryumptin:	clattering
twa:	two
twa-face:	deceive
twa-fauld:	bend double
twal:	twelve
'twid:	it would
'twis:	it was
twine:	string
tyauve:	struggle
tyke:	dog
tyne:	mislay
unbeeriet:	unburied
unbiggit:	unbuilt
unca:	uncommonly
unca guid:	excessively virtuous
unchancy:	unlucky, ill-fated
unfauldin:	unfolding
unfurl:	uncurl
unhaly, unhaily:	unholy
unhalesome:	unwholesome
unhapt:	uncovered
unkent:	unknown
unquate:	unquiet
unnerstaun:	understand
unskeely:	unskilful
unsocht:	unasked
unsteek:	open

unyirdly:	unearthly	weety:	damp
uppity:	audacious	weir:	wear
usquebaugh:	whisky	weird:	fate, fated
		weird ye'll dree:	fate you'll befall
vauntie:	proud, boastful	wersh:	bitter
verra:	very	wha:	who
virr:	vigour	wha'd:	who had
vratch:	pest, brat, bitch	whaun:	when
vrocht:	worked	whaup:	curlew
vyce:	voice	whaur:	where
		wheek:	whisk
waa:	wall	wheen:	few
wab (wob):	web	wheep:	whip
wabbly:	wobbly	wheeple:	whistle
wad, wid:	wood, would	wheesht:	hush
waddin:	wedding	whigmaleerie:	foolish fancy
wae:	sorrow	whilk:	which
waesome:	wretched	whin:	furze
wake:	death-watch	whit:	what
wallie:	well	whummle:	tumble
wallies:	wellingtons	whussle:	whistle
wallopin: flapping, dashing against,		whyles:	sometimes
	smacking	whylies:	occasionally
wame:	belly, womb	wi:	with
wan:	one	widden-dremes:	nightmares,
wanderin willie:	pink weed		madness
wanner:	wander	wid:	wood, would
war:	were	wide ben:	stride through
warld:	world	widna:	would not
warlock:	male witch	wiff:	whiff
warsslin:	wrestling	wifickie:	small woman
wat:	wet	wigglety-wagglety:	wiggle-waggle
watter:	water	wikken:	weekend
wattergaw:	rainbow	willie-waucht:	hearty drink
wauk:	walk, awake	wi'in:	within
waukrife:	wakeful	wimmin:	woman
waur:	worse	win:	wind, reach
waurna:	were not	win by:	pass
wearie-wins:	wearily reaches	windae:	window
wecht:	weight	winna:	won't, will not
wechtit:	weighted	winner:	wonder
wee:	small	winnerfu:	wonderful
weel:	well	winners:	wonders
weel-set-up:	well made	winnin on:	succeeding
weemin:	women	winnock, winnock-pane:	window
weet:	wet	wino:	meths drinker

winsome:	comely
wins till:	reaches
wint:	want, lack, need
wi'oot:	without
wippit:	wound (of wool)
wir:	our
wird:	word
wirk:	work
wirkins:	workings
wirm:	worm
wirsel:	ourselves
wirth:	worth
wis:	was, were
wis't:	was it
wither:	weather
withhaud:	withhold
withooten:	without
worrit:	awkward person
worritin:	worrying
worsit:	woollen
wrack:	ruin, wreck
wraith:	ghost, drift, wreath
wrang:	wrong
wrassle:	struggle
writ:	written
wud:	mad, would
wull:	will
wummin:	woman
wummlin:	wriggling
wun:	wound
wye:	way, weigh
wyle:	pick (the best)
wyte:	fault, blame
wyve:	weave, knit
wyver:	spider, weaver, knitter
wyvin:	knitting
yalla:	yellow
yalla-yeitie:	yellow hammer
yammer:	shrill cry
yark:	seize and pull forcibly
ye:	you
ye'd:	you would
yer:	your, you are
yersel:	yourself
yestreen:	yesterday

yett:	gate
ye've:	you have
yird:	earth
yirned:	curdled (milk)
yoam:	warm aroma
yoamin:	emitting a close air
yoked:	started work
yon:	that, these
yowe:	ewe
yowie:	little ewe
Yuletide:	Christmas